Les Éditions du Boréal
4447, rue Saint-Denis
Montréal (Québec) H2J 2L2
www.editionsboreal.qc.ca

Infidélités

CHEZ LE MÊME ÉDITEUR

Poisson d'avril, roman, 2014.

Josip Novakovich

Infidélités

Histoires de guerre et de luxure

traduit de l'anglais (États-Unis)
par Hervé Juste

nouvelles

Boréal

Dépôt légal : 1er trimestre 2015
Bibliothèque et Archives nationales du Québec

L'édition originale de cet ouvrage a été publiée en 2005
par HarperCollins Publishers sous le titre *Infidelities.*

Diffusion au Canada : Dimedia

Catalogage avant publication de Bibliothèque et Archives nationales du Québec et Bibliothèque et Archives Canada

Novakovich, Josip, 1956-
[Infidelities. Français]
Infidélités : histoires de guerre et de luxure
Traduction de : Infidelities
ISBN 978-2-7646-2365-7
I. Juste, Hervé. II. Titre. III. Titre : Infidelities. Français.

PS3564.O925I5414 2015 813'.54 C2015-940106-2

Spleen

J'ai été ravie d'apprendre qu'une famille bosniaque venait d'emménager dans notre quartier, juste à côté de chez moi. Cela faisait sept ans que j'avais quitté la Bosnie, et je n'avais quasiment pas vu un de mes compatriotes depuis.

Je me fichais bien de savoir si mes voisins étaient musulmans, Croates ou Serbes de Bosnie, non, une seule chose comptait : ils étaient Bosniaques et parlaient une langue que j'adorais et n'avais pas entendue depuis trop longtemps. Et quand j'ai su que c'était une famille croate de Bugojno, j'étais carrément aux anges. Et nostalgique. J'aurais pu rentrer au pays, mais je me méfiais : je venais de la *Republika Srpska,* la République serbe de Bosnie. Comme elle avait été placée sous le contrôle de l'OTAN, il ne me serait sans doute rien arrivé si j'y étais retournée, mais je ne pouvais pas m'imaginer dormir sans la lumière des lampadaires dans la rue. Je me souviens des événements qui avaient précédé mon départ. Des gens avaient déjà fui le village parce que le bruit courait que les Serbes allaient débarquer, mais j'étais persuadée qu'ils ne me feraient rien. S'ils ciblaient les gens en fonction de leur origine ethnique, je ne risquais pas grand-chose, étant moitié Serbe, moitié Croate. Puis, une nuit, on a frappé à ma porte en criant :

« Ouvrez ! Police. » Par le judas, j'ai vu deux types avec une cagoule sur la tête.

On ne s'attend pas à ce que des policiers soient accoutrés de la sorte. Et de quoi voudraient-ils me parler, de toute façon ?

Je suis allée à la cuisine, où j'ai pris un couteau bien aiguisé que j'ai glissé dans ma manche, puis j'ai attendu pendant qu'ils défonçaient la porte. Je me suis cachée dans une penderie. Les deux salopards ont pénétré dans la maison, renversant les tables, pulvérisant la vaisselle, tout en me criant de sortir de ma cachette. L'un d'eux est descendu à la cave, l'autre est entré dans les toilettes. J'ai choisi ce moment pour sortir de mon placard, à pas de loup, pieds nus. Mais il m'a vue, m'a couru après et jetée par terre. Le couteau est tombé de ma manche. L'homme n'a rien entendu parce qu'il a percuté une pile d'assiettes qui s'est fracassée sur le plancher. Il a déchiré mes vêtements. Pendant ce temps, l'homme en bas, ou devrais-je dire l'animal, continuait de briser les pots de confiture et de poivrons marinés ; soudain, il s'est calmé, sans doute parce qu'il avait trouvé le vin.

Le voyou m'a clouée au sol et, chaque fois que j'essayais de le repousser, il me cognait la tête sur le plancher. Je suis plutôt forte et j'aurais sans doute pu me débarrasser de lui s'il ne m'avait pas frappé la tête à chacun de mes mouvements. Ça faisait affreusement mal. Je pensais que rien ne surpassait les migraines, mais là, c'était pire, une douleur profonde. J'étais complètement sonnée, comme si mon cerveau s'était détaché et ballottait à l'intérieur de mon crâne.

Il a glissé un peu plus bas et s'est assis sur mes cuisses.

« Faut que tu m'aides à la faire durcir, m'a-t-il dit.

— Je veux pas !

— Fais-le. Tiens, prends-la dans ta main. »

Je l'ai prise dans ma main.

« C'est difficile comme ça, est-ce que je peux m'asseoir ? ai-je demandé.

— Bien sûr. »

Je me suis redressée sur le côté tout en cherchant le couteau par terre, j'en ai saisi le manche et, sans une hésitation, lui ai planté la lame dans le corps. Je visais le milieu de l'abdomen, mais je l'ai manqué. Je l'ai enfoncée sur le côté, le côté gauche. Pas très profondément, je pense.

Il a poussé un hurlement et n'a pas réagi quand j'ai bondi et que je me suis ruée vers la porte. Puis j'ai couru dans les collines, nue, dans la froideur d'une nuit de novembre. J'étais transie, ma peau avait viré au bleu, et je ne voyais aucun endroit où me cacher à part le monastère des Bénédictins, au sommet de la colline. J'ai déboulé dans la chapelle, en plein milieu des matines. Il faisait encore noir. Les pauvres hommes se sont signés, se sont caché la face et ont prié en latin. J'ai entendu un mot que j'ai aimé, *misericordia*. Puis l'un d'eux a dit : « Frères, ne soyez pas stupides. Aidez-la ! » Il a ôté sa robe de bure marron et m'en a recouverte, ne gardant que son maillot rayé et son caleçon long.

Les moines m'ont donné de l'eau chaude et du café, et, dès que j'ai eu fini de grelotter, j'ai voulu partir en courant. Je leur ai raconté ce qui m'était arrivé et leur ai conseillé de fuir aussi. Celui qui était intervenu m'a conduite en voiture à l'ouest, jusqu'à Mostar. Pendant qu'il était au volant, il a voulu me tenir la main. Pas de danger, ai-je pensé. Et c'est vrai, quel danger pouvait-il représenter, cet homme de cinquante ans me tenant la main ? Il n'a rien demandé de plus. Je pense qu'il désirait simplement la présence chaleureuse d'une créature de sexe féminin. Je n'ai pas attendu de voir ce qui allait se passer. J'ai volé un vélo à Mostar et j'ai roulé d'un trait jusqu'en Croatie, à Metković. Facile, la route descend presque tout le temps. Une fois en Croatie, je me suis réfugiée chez Caritas, où l'on m'a donné des papiers et laissée partir à l'étranger, aux États-Unis. C'était bien plus d'aventures que j'aurais jamais espéré en vivre.

Ayant toujours été casanière, je n'ai jamais rien compris aux joies du voyage, à la passion de la route. Gamine, le seul moment du voyage que j'aimais, c'était le retour à la maison. Je me ruais vers les fenêtres du train dès qu'il franchissait le sommet de la colline qui domine ma ville, et apercevoir les clochers, les minarets et le vieux château me rendait heureuse. Alors, c'est une sorte de petit miracle pour moi d'être devenue une globe-trotteuse, une Américaine. Et je travaille dans une banque plutôt sympa. Juste à côté il y a un restaurant, le Dubrovnik. Je n'y vais pas souvent, mais le seul fait de savoir là ce petit bout de mon pays me fait du bien. J'y suis allée tout récemment avec une de mes collègues caissières, une Polonaise, Maria. Nous avons grimpé les marches du restaurant et pénétré dans un nuage de fumée. Au milieu de cette vapeur âcre, les clients m'ont fait penser à un groupe d'anges turbulents perchés sur un nuage. Impossible de distinguer le moindre détail, je n'apercevais que des silhouettes crachant la fumée de leur cigarette, nourrissant leur nuage bleu, comme s'ils craignaient de le voir s'évanouir et de tous retomber sur terre. L'idée d'un chœur d'anges enfumés me plaisait, même si je doutais fort qu'il y eût un seul ange parmi eux ; la plupart avaient récemment immigré de Bosnie-Herzégovine et de Croatie, et quelques-uns avaient fait la guerre.

Alors que je savourais un tendre poulet *paprikash,* Maria m'a dit : « Tu sais, une famille bosniaque vient de s'installer dans ton coin, juste à côté de chez toi en fait. Tu les as rencontrés ?

— Non, je ne savais même pas que quelqu'un avait emménagé.

— Ils organisent un barbecue samedi prochain. Je suis invitée et je peux amener qui je veux. Tu veux venir ? »

.Maria a passé une serviette de papier sur ses lèvres et ses joues brillantes. « Ils sont charmants », a-t-elle ajouté.

Sa serviette s'est tachée de rouge.

Le jardin verdoyant de mes voisins baignait dans les fumées de grillades ; j'aime l'odeur du charbon. C'est là un des aspects de la culture américaine que nous, gens des Balkans, adoptons rapidement, côtelettes et saucisses grillées, avec notre variante à nous toutefois : le *chevapi*, ces rouleaux de viande hachée épicée. La radiocassette posée sur le rebord de la fenêtre jouait de la musique traditionnelle, le genre de truc qui m'ennuie d'habitude, mais qui me faisait à ce moment-là me sentir chez moi. Vous savez, accordéon, violoncelle et voix lancinante.

Notre hôte était chauve et portait une tenue verte d'hôpital, et quand je lui ai demandé s'il était médecin, il m'a répondu : « Je suis technicien en radiologie au Mercy Hospital.

— C'est un bon boulot, non? Vous faites combien d'heures par semaine?

— Vingt-quatre.

— Vous avez beaucoup de temps libres, alors. C'est chouette !

— Ça pourrait être encore mieux. J'ai étudié la médecine à Sarajevo. Ça marchait très bien pour moi, mais je n'ai pas été très malin : j'ai participé à une manif contre Tito et on m'a jeté en prison. Après ça, impossible de reprendre mes études. Je n'ai eu d'autre choix que d'émigrer. Est-ce qu'on vous a présenté mon neveu ? »

Il m'a montré du doigt un homme de dos qui a tourné vers nous une tête dégarnie, comme celle de son oncle, au visage large et osseux et aux dents étonnamment blanches pour quelqu'un de chez nous – elles étaient écartées, et c'est peut-être ce qui les avait sauvées.

Il avait un air familier, mais plus je le regardais, et plus j'étais sûre de me tromper. C'est tout simplement que beaucoup de gens originaires de ma région soufflent en moi un petit vent de familiarité, même si je ne les ai jamais vus. Si je les avais croisés dans la ville d'où je viens, je n'aurais vu en eux que de parfaits étrangers, mais de parfaits étrangers avec un petit quelque chose de connu, et c'est cette impression de déjà-vu que je venais d'avoir.

Il s'est dirigé vers moi et m'a demandé d'où je venais et ce que je faisais. Le genre de question que vous n'attendriez pas d'un compatriote, mais plutôt d'un Américain.

Je lui ai dit que je travaillais dans une banque, et il a tout de suite manifesté un vif intérêt. « Je veux acheter une maison, m'a-t-il confié. Pourriez-vous m'obtenir une hypothèque ? Quels sont vos taux ?

— Ça dépend de votre cote de crédit.

— Ma cote de crédit ? Pfiou ! Comment pourrais-je en avoir une ? Mais j'ai un statut de réfugié, et une église luthérienne pour me soutenir. Et je viens juste de me trouver un boulot d'électricien.

— Vous êtes très futé alors. Un électricien idiot serait dangereux.

— Vous avez raison. Ou alors, je suis un électricien imbécile, mais courageux.

— Vous avez déjà pris une décharge électrique ?

— Bien sûr, tout le monde a déjà pris le jus ! Vous aussi sûrement.

— C'est vrai.

— La banque, dit-il. Pas trop ennuyeux de travailler là ?

— Pas le moins du monde. Il y a beaucoup de Croates et de Slovènes, ici, mais pas de Bosniaques.

— Alors on doit vraiment s'emmerder !

— On ne s'ennuie jamais avec les gens de chez nous – dans mon esprit, ce sont toujours les gens de chez nous. Un jour, un homme est venu payer sa maison en espèces. Il a ouvert une valise marron pleine à craquer de billets de dix dollars. Rien d'autre que des billets de dix dollars. Je lui ai demandé : "Pourquoi ne faites-vous pas un chèque ?" Et il m'a répondu : "On ne peut pas faire confiance aux chèques." "Mais pourquoi seulement des billets de dix dollars ?" "On ne peut pas non plus se fier aux billets de cent, m'a-t-il expliqué. Il y a trop d'Italiens par ici. Tous des mafiosi. Et c'est ça qu'ils font, eux, ils impriment des faux billets. Le dix, c'est le meilleur." C'était un vieux Croate qui vendait des voitures. Son entreprise avait pour slogan : Des voitures propres contre de l'argent propre. On n'imagine pas que quelqu'un comme lui, empêtré dans une économie du billet de banque, puisse devenir riche. Pourtant, cet homme y était parvenu et trimballait un demi-million de dollars juste comme ça. Je me demande comment il avait le courage de marcher seul dans la rue, avec tout cet argent. »

Dragan a éclaté de rire.

« Les gens de chez nous sont vraiment d'indécrottables culs-terreux ! Nous sommes tous des paysans. »

Il ne cessait de s'approcher, et moi de reculer, ce qui fait que nous n'arrêtions pas de tourner autour du jardin. J'en étais parfaitement consciente, mais pas lui. Ou il s'en fichait. Peut-être ai-je adopté sans y prendre garde la bulle des Américains, qui correspond à peu près à la longueur d'un bras, de sorte que personne ne peut vous toucher ou vous frapper sans que vous ayez la possibilité d'esquiver. C'est aussi bien pratique, car, à cette distance, la mauvaise haleine de votre interlocuteur a le temps de se dissiper dans l'air et que, si vous en souffrez le matin, vous n'incommoderez pas les gens en leur soufflant dessus vos nuages de bactéries. J'aime cette bulle anglo-saxonne, mais, bien sûr, un gars tout juste débarqué de Bosnie n'y comprend rien, à cette barrière. Il y voit une marque de froideur et de distance. Au bout d'un moment, toutefois, j'ai compris qu'il s'intéressait bien plus à moi qu'à sa maison et à son hypothèque.

Pendant ce temps, son oncle racontait des blagues bosniaques à Maria, qui le gratifiait de hurlements de rire.

Puis nous avons mangé le *chevapi.* J'avais hâte de sentir ce goût dans ma bouche, mais la viande était trop cuite. Trop occupés à discuter, nos hôtes l'avaient oubliée sur le gril. En fait, comme nous n'avions pas de réfrigérateurs dans les Balkans, nous avions tendance à trop cuire la viande pour tuer à coup sûr toutes les bactéries. Ce n'est qu'en arrivant ici que j'ai vu des gens manger la viande sanguinolente, que j'ai entendu parler de steak bleu ou saignant. Chez nous, on ne connaissait qu'une cuisson : bien cuit. Mais là, et bien que j'adore l'odeur de la viande grillée, j'étais incapable d'avaler la croûte brûlée qui l'enrobait. J'ai plutôt bu le vin rouge que m'offrait Dragan – impressionnant, un Grgich à la robe riche et pourpre, avec, allez savoir pourquoi, un goût de prune. Nous étions maintenant tous deux plus détendus, et il a commencé à me déballer son répertoire de blagues bosniaques. Je les ai trouvées drôles, mais, bizarrement, je serais incapable de me souvenir d'une seule.

La seule vraie raison pour laquelle j'ai finalement accepté de sortir avec ce type, Dragan, c'est que j'aime parler le bosniaque. Je pense que c'est un motif tout à fait valable. On s'est retrouvés à la brasserie du quartier. S'il y a un truc chouette à Cleveland, c'est bien la diversité ethnique. La brasserie, c'était la contribution des Allemands.

« Tu sais, me disait-il, mon oncle est un drôle de zigoto. La nuit, il se déguise parfois en médecin et fait semblant d'en être un. Il rencontre des patients à la clinique et va jusqu'à poser des diagnostics et leur conseiller de subir une chirurgie ; il adore suggérer aux cardiaques une bonne greffe. Un jour, on l'a surpris à jouer au docteur et on l'a viré, mais il y avait alors une telle pénurie d'infirmières et de médecins qu'ils l'ont laissé revenir. Au boulot, il souffre beaucoup parce qu'il s'imagine en savoir bien plus que ses supérieurs. Cette lutte pour son statut l'absorbe tellement qu'il en néglige certains aspects de sa vie. Il a prêté toutes ses économies à un ami bosniaque, quarante mille dollars, sans exiger le moindre reçu, sur une simple parole d'honneur. L'ami a disparu, et avec lui les économies d'une vie. Quel idiot, mon oncle !

— Comment peux-tu parler de lui ainsi ? Il s'occupe de toi.

— Je ne parle pas en mal de lui. Tout le monde sait ce qu'il a fait. C'est marrant.

— C'est surtout triste. Il a perdu tant d'argent. Et il fait semblant d'être ce qu'il n'est pas. C'est courant dans votre famille ?

— Que veux-tu dire ? La générosité débridée ? Bien…

— Non, faire semblant.

— Je ne fais semblant de rien.

— Je n'ai pas dit que tu le faisais. J'ai simplement demandé si c'était une tendance familiale.

— C'est ta façon de bavarder gentiment ?

— Oui, je suis un thème, une piste. Et comme c'est ton oncle…

— Et alors ? Qu'est-ce que t'essaies de me dire ? (Il s'est levé de sa chaise.)

— Mon Dieu, je pensais que tu avais le sens de l'humour.

— Oui, je l'avais.

— Ça va, calme-toi. Commande une autre bière.

— Bonne idée. Deux Guinness, s'il vous plaît », a-t-il demandé à la serveuse, laissant traîner son regard. La fille portait une minijupe et de longues chaussettes noires qui s'arrêtaient juste sous les genoux, laissant voir un joli morceau de cuisse entre la jupe et les chaussettes.

« Beau corps, ai-je dit.

— Oui, la Guinness a beaucoup de corps.

— Je parle de la fille.

— T'as remarqué ?

— J'ai remarqué que tu avais remarqué.

— Ah, nous y voilà de nouveau ! Tu essaies de me coincer ou quoi ?

— Non.

— J'ai remarqué son style. Je sais pas si elle a un joli corps, mais son style…

— Sexy ?

— J'avais oublié à quel point les femmes de chez nous peuvent être chiantes. Maintenant, je me sens comme au pays.

— Même chose pour moi et nos hommes. Moi aussi je me sens comme au pays. C'est ça que je voulais, me sentir chez moi.

— C'est pour ça que t'as accepté de sortir avec moi ?

— Oui.

— Tu te fiches de ce que je suis ? Ce qui compte, c'est que je sois de là-bas ?

— Je m'intéresse à ce que les gens sont. »

La bière, mousseuse et fraîche, a laissé sur ses lèvres une empreinte crémeuse qu'il n'a pas essayé d'enlever, continuant à parler ainsi, de la mousse sur la lèvre supérieure.

La deuxième tournée de bière m'est montée à la tête. Il fait sombre dans les bars américains. Nous nous sommes embrassés sous l'emprise de la bière, ou sous l'emprise de l'excuse qu'elle nous offrait. Il avait un goût de cigarette sans filtre, et j'ai aimé ça, ça me rappelait le pays. J'avais bien sûr embrassé quelques Américains, et des immigrants non-fumeurs qui mâchaient consciencieusement des bonbons mentholés avant un baiser et avaient la bouche fraîche, légèrement aseptisée. Les trois ou quatre types que j'avais embrassés s'étaient ensuite éclipsés dans la salle de bains, sans doute pour se passer la soie dentaire et se brosser les dents, histoire de se remettre la bouche à neuf. Mais ça, c'était un baiser européen, à l'ancienne, avec des petits bouts de tabac et un arrière-goût de piment fort – il devait avoir mangé du *feferonki*. Ce baiser charriait de puissantes réminiscences du vieux continent, alors j'ai fermé les yeux et flotté dans des espaces nébuleux où je voyais le café turc coulant des *dzezva*, la vaisselle de cuivre, l'épais dépôt au fond des tasses où les vieilles paysannes vous lisaient la bonne aventure. Quand on en boit, il reste toujours dans la bouche du marc de café à mâcher où à pourchasser du bout de la langue, et c'est à ça que ressemblait ce baiser, à une chasse aux petits grains. Un baiser fort et piquant. J'ai allongé le cou et il y a posé ses lèvres, et sa barbe du soir m'a râpée comme du papier d'émeri, une douleur cuisante, mais agréable.

Nous sommes allés chez moi et avons poursuivi nos jeux érotiques avec tant d'impatience que nous ne nous sommes pas complètement dévêtus. J'avais encore ma jupe, et lui sa chemise et sa cravate, même si tout le reste avait valsé. Je l'attirais à moi en tirant sur sa cravate rouge, et le resserrement de son col, associé à l'action du désir, faisait tourner au cramoisi son visage, et les veines bleues saillaient en zigzaguant sur son front, comme les affluents gonflés d'une rivière cherchant le plus court chemin pour se rendre à la mer.

Je me suis demandé pourquoi cet homme me faisait confiance au point de me laisser tirer sur sa cravate. J'ai ressenti une pulsion soudaine de l'étrangler, inexplicable, mais séduisante. Au lieu de cela, j'ai laissé filer sa cravate et l'ai desserrée. Il haletait, bouche ouverte, toutes dents dehors, et il m'a encore embrassée et mordu le cou, pour jouer sans doute, mais cela m'a envoyé une décharge de terreur dans le sang. Je lui ai mordu l'oreille. Et nous avons continué à nous mordiller comme si nous étions deux loups, consolidant notre emprise l'un sur l'autre grâce au jeu espiègle de nos mâchoires. Le plaisir naissait au creux de nos os, remontait à la surface, trouvant nos chairs sur son chemin. Les os de notre amour nous mettaient les sens en émoi, je ne me sentais pas rêveuse et alanguie comme d'habitude quand je fais l'amour, pas flottante dans la subtilité des sensations, mais férocement alerte. Comme si nous voulions nous détruire, et il en résultait ce genre de sensation que vous éprouvez quand votre vie est en jeu, que vous sautez d'une falaise dans les eaux azur d'une baie, que vous dévalez une pente en ski et que, frappant une bosse, votre corps reste en suspension dans les airs.

Un extraordinaire courant de haine minait nos ébats, et cela m'a choquée. J'ai frissonné, y voyant d'abord un prélude à l'orgasme, puis, non, plutôt une frayeur froide. Il a lâché mon cou, sa cravate chatouillait mon ventre et mes seins à chacun de ses coups de boutoir. Puis je l'ai presque étranglé de nouveau, pendue à sa cravate comme un moine au carillon de son église, alors qu'il écrasait son pubis contre le mien au rythme d'une cloche que j'entendais tinter dans ma tête. S'il devait y avoir bris d'os, je n'étais pas sûre que les miens auraient cédé les premiers. Tout le monde sait qu'amour et désir ne sont pas synonymes, mais là, je découvrais que haine et désir ne sont pas non plus antonymes. L'amour est habituellement un refuge, où se cache la présence réconfortante de l'autre, où il tend les bras pour vous empêcher de tomber, et, en ce sens, il se situe aux antipodes de cette sensation d'effondrement et d'abandon total qui marque la plupart des grands orgasmes. C'est plutôt la haine qui favorise cette délicieuse sensation de destruction et d'autodestruction. Et c'est ce que j'ai senti en pénétrant dans cet océan, non pas de joie, mais de frayeur. Je n'y aurais pas pensé ainsi si nous n'avions pas fait l'amour et la haine, et si la haine n'avait pas dominé.

J'ai glissé ma main sous sa chemise et touché son ventre. Son abdomen était agité de spasmes, comme le flanc d'un cheval que vient de piquer un taon. Sa peau était douce et molle. J'en ai été étonnée parce que les poils de sa poitrine jaillissaient du col de sa chemise. Quand mes mains se sont aventurées plus loin, il les a attrapées et les a repoussées. « Ça me chatouille, m'a-t-il dit.

— Et alors, les chatouilles sont plutôt agréables, non ? Tu peux me chatouiller si tu veux. »

Je l'ai touché de nouveau, il s'est crispé et son érection est retombée. Ça n'était pas plus mal ; ayant survécu à des heures de passion, nous avons poussé un soupir de soulagement, méditant peut-être sur la nature troublante de notre collision.

Même après son départ, je me suis étonnée de ce qui avait transpiré de nos ébats et de l'animosité restée en suspension dans l'air saturé, affrontement des vapeurs distinctes de deux corps, sa sueur et ma sueur, la sienne aillée, la mienne au goût d'olive, la sienne sucrée, la mienne salée.

Je me suis aussi demandé pourquoi il avait gardé sa chemise, et c'est sur cette question que je suis allée me coucher. Je me suis réveillée, certaine d'avoir reçu une révélation en rêve, comme ce biochimiste qui, ayant eu la vision d'un serpent qui se mordait la queue, avait eu la révélation de la structure circulaire du benzène ou de je ne sais pas quoi.

Là, dans mon rêve, Dragan m'apparaissait vêtu d'un t-shirt noir. Je lui demandai : « Pourquoi ne l'enlèves-tu pas ?

— Je ne peux pas !

— Je ne te ferai l'amour que si tu l'enlèves.

— Je préfère éviter. »

Alors je me suis déshabillée et l'ai nargué, et quand il a enlevé son t-shirt, j'ai vu une cicatrice sur son flanc gauche, sous les côtes, du côté de la rate. La balafre a pâli, puis rougi avant de virer au cramoisi. Des gouttes de sang suintaient sur son flanc. « Rends-moi mon t-shirt, m'a-t-il dit. Tout de suite. » Je l'avais jeté derrière le lit. « Je ne sais pas où il est », ai-je répondu. « Trouve-le », a-t-il répliqué. Maintenant, le sang coulait à flots. Le temps que je prenne pitié de lui, même si je pensais qu'il n'y avait aucune raison pour cela, et que je consente à lui tendre son t-shirt, il s'est effondré sur le sol, dans une mare rouge et huileuse. Le sang lui sortait du corps sans arrêt, les meubles flottaient à la dérive, et mon lit était un bateau en train de sombrer. J'ai hurlé, et l'écho de mon hurlement m'a réveillée, résonnant de la cave au grenier, puis il n'est resté dans la maison que l'absence de tout souvenir de mon cri.

Je suis allée à la salle de bains. Le parquet était sec. Je me suis brossé les dents. Mes gencives ne saignaient pas. J'ai regardé mes yeux. Ils n'étaient pas injectés de sang.

Je croyais en mes rêves tout en doutant d'eux – j'en avais fait de toutes sortes et, dans certains, j'avais perdu toutes mes dents... que j'avais retrouvées bien accrochées à mes mâchoires en me réveillant.

Nous devions nous revoir le lendemain soir après mon travail. Je redoutais ce moment. Je n'ouvrirais pas la porte. J'éteindrais tout et ferais semblant de ne pas être là.

Mais alors que huit heures approchaient, j'ai eu très peur qu'il ne vienne pas, qu'il comprenne que je l'avais démasqué.

Soudain, trois voitures de police se sont arrêtées dans un crissement de pneus devant sa maison, tous gyrophares allumés. Ça y est, ai-je pensé, ils doivent avoir de quoi le coincer. Dès qu'ils le sortiraient, menotté, je courrais vers eux et leur raconterais tout. J'ai enfilé mes Nike et les ai lacées, me souvenant que Nike est le nom grec de Victoria, celle qui remporte la guerre. Très vite, les flics sont ressortis en escortant un chauve à la silhouette familière, vêtu de vert de la tête aux pieds. Le pauvre médecin autoproclamé. Le neveu est sorti sur le pas de la porte et a fumé une cigarette. Peut-être bâillait-il d'avoir trop baisé. Tout de même, pourquoi n'allait-il pas au moins discuter avec les flics, pourquoi n'était-il pas plus bouleversé ? Mais peut-être cela lui convenait-il, peut-être même avait-il dénoncé son oncle, pour avoir plus de place à lui tout seul. Plus besoin d'acheter une maison, maintenant. Enfin, qu'est-ce que j'en savais, moi, de ce qui s'était passé chez eux ? Je suis retournée dans la cuisine me faire un cappuccino, laissant la cafetière siffler et cracher comme un chat furieux, même s'il est difficile d'imaginer un chat passer sa colère sur du lait.

On a sonné à la porte peu après. J'ai fait entrer Dragan. Cette fois, il ne portait pas de costume, mais un t-shirt noir, comme dans mon rêve. Il tenait des œillets rouges et une bouteille de merlot Eagle Peak. J'ai mis de la musique, la cinquième de Mahler. Il y a des accords funèbres chez Mahler qui me donnent la chair de poule, donc c'était masochiste de ma part, dans cette ambiance en rouge et noir, de choisir de vibrer sur ces notes en mode mineur.

« Tu aimes cette musique, m'a-t-il demandé ?

— J'adore.

— Pourquoi pas du folk authentique ?

— Plus tard. Ça, c'est parfait pour débuter en douceur.

— On a été tout sauf doux jusqu'ici, et il me semble qu'on n'en est plus aux débuts.

— Je n'ai jamais entendu un homme se plaindre de s'être retrouvé au lit trop vite.

— Je ne me plains pas. Mais si tu permets à d'autres de coucher avec toi si rapidement, combien y en a-t-il eu avant moi ?

— Oh, personne n'a jamais vraiment compté pour moi. (Le ton de ma voix était plus cynique que je ne l'aurais voulu. C'est vrai, personne n'avait vraiment compté, il fallait bien l'admettre. Et j'ai continué à bavarder.)

— Et ton pauvre oncle, pourquoi l'ont-ils emmené ?

— Comment es-tu au courant ?

— Je suis une bonne voisine, je regarde par la fenêtre.

— Dieu nous garde des voisins vigilants. Sérieusement, mon oncle est dingue. Il a fait un tour chez les malades du rein et a injecté de la morphine aux patients. Il n'arrêtait pas de répéter qu'il y a trop de douleur dans ce monde, trop de douleur. Il a raison, d'ailleurs. C'est plutôt charmant. Enfin, ça l'aurait vraiment été si la drogue n'avait pas infligé aux reins un stress additionnel. S'il avait fait ça en orthopédie, peut-être que personne ne se serait plaint. Mais ce qu'il a fait était dangereux, criminel. J'ai honte de lui.

— Mais il voulait bien faire, et ces patients souffraient sans doute, et ils allaient mieux après. Peut-être le sait-il mieux que nous tous et les flics réunis ? Je trouve ça touchant. »

Il a ricané. Ça m'a donné la chair de poule. Ou peut-être était-ce une dissonance particulièrement bien placée de Mahler qui m'a fait frissonner, et si ce n'était pas ça, nul doute qu'elle a amplifié la sensation. Comme s'il avait compris ce qui se passait dans ma colonne vertébrale, il m'a redemandé si j'étais sûre d'aimer cette musique.

Il souriait, avachi dans un fauteuil. Il n'avait pas l'air dangereux, plutôt amical, tranquille, pas comme un chien alpha, plutôt un chien bêta, couché près du foyer, la queue basse.

Par-dessus et par-dessous son t-shirt, il massait ses pectoraux, doucement, sensuellement. Je trouvais bizarre de voir un homme se caresser comme ça – surprenant et légèrement érotique.

Nerveuse, j'ai vidé la moitié de la bouteille, et on s'est vite retrouvés sur mon grand lit à se bécoter. J'étais de plus en plus excitée, entre autres raisons parce qu'il y avait là une part d'interdit : je m'étais imposé cet interdit et, là, je le transgressais. J'avais prévu l'inviter dans mon lit, pour voir sa cicatrice, et je ne voulais pas m'enflammer, mais c'était raté.

J'avais placé un couteau de cuisine sous l'oreiller, juste en cas. Oui, je sais, ça fait un peu mante religieuse, et alors ? Peut-être ce type méritait-il de voir exaucé son dernier vœu, sans savoir que c'était le dernier, faire l'amour. L'idée ne me dérangeait pas ; en un sens, je souhaitais presque qu'il se montre agressif et menaçant afin de me donner une bonne raison de passer à l'acte. Non pas que je le voulais vraiment, mais l'idée me travaillait.

Pendant nos ébats, je lui ai passé la main sous le t-shirt, touché le nombril. Il m'a repoussée.

« Je suis chatouilleux.

— Oui, je sais, tu l'as déjà dit, pourtant, ça ne te dérange pas quand je te touche ailleurs.

— Je ne suis chatouilleux que des pieds et du ventre. »

Je lui ai caressé le cou et j'ai glissé ma main vers le bas, mais le col de son t-shirt était trop étroit pour que je puisse aller plus loin.

« Qu'est-ce que tu essaies de faire ? m'a-t-il demandé. T'aimes les clavicules ?

— Je craque pour les clavicules. Pourquoi t'enlèves pas ton t-shirt ?

— Par orgueil. Je ne veux pas que tu voies comment mon ventre est flasque, comment les poils de ma poitrine grisonnent, ni combien mon nombril est enfoncé.

— Maintenant que tu m'as dit tout ça, à quoi bon le cacher ? Je sais à quoi m'attendre, ça ne peut être que mieux. Déshabillons-nous complètement. Ce serait amusant, non ? On ne s'est pas encore mis nus. On a baisé jusqu'au petit matin, et on ne s'est pas encore vus nus.

— D'accord, mais éteins la lumière. »

J'ai réfléchi à ça. J'avais besoin de lumière pour l'examiner. Mais qu'importe, je n'aurais qu'à le faire avec mes doigts. J'ai éteint.

« Chouette, ça va être romantique, ai-je dit. Je vais mettre des chandelles. »

J'en ai pris une douzaine et les ai allumées.

Il a retiré son t-shirt, son caleçon rouge et les espèces de chaussettes de foot qui lui montaient presque aux genoux. Pour son âge, il était plutôt en forme. Son ventre ne pendouillait pas. Il avait menti. La lueur des chandelles arrivait de tous les coins de la pièce, et la lumière de la salle de bains entrait par un interstice et s'épandait sur le plancher et les murs, mais ça ne suffisait pas pour voir la cicatrice. Alors, quand il s'est étendu, j'ai posé la main sur son flanc. Il a eu un geste de recul et son ventre s'est contracté.

« Laisse-toi aller, ai-je dit.

— D'accord. Je parie que tu as une technique. »

Je l'ai palpé partout, j'ai touché ses côtes, plus bas, et je n'en croyais pas mes doigts. Pas de cicatrice. Quoi ? Mes rêves m'auraient-ils trompée ? C'était déjà horrible de penser que j'avais retrouvé cet homme et que je l'avais là, sous les doigts, mais, soudain, c'était encore plus horrible de penser que ce n'était pas le bon, que l'autre était encore en liberté, qui sait où, s'il n'était pas mort. Comment le trouverais-je ? Pourquoi voulais-je le trouver ? Pourquoi ne me sentais-je pas soulagée ? Être avec un homme qui pouvait me faire l'amour si vigoureusement aurait dû me combler. J'aurais pu avoir un compagnon, peut-être même une famille, ce qui n'aurait pas été une folie à mon âge, la mi-trentaine.

J'étais dans un tel état de choc que j'ai tout de suite arrêté les galipettes.

« Je ne peux pas, ai-je dit.

— Pourquoi ?

— J'ai des idées noires, et elles ne veulent pas me quitter.

— Quelles idées noires ? »

Je lui ai tout raconté, en détail : la tentative de viol, la fuite. Mais je ne lui ai rien dit du couteau ni de la blessure. Je lui ai plutôt raconté que j'avais assommé le type avec un chandelier.

« C'est admirable que tu aies eu le courage de faire ça, a-t-il constaté. Mais pourquoi penses-tu à cela maintenant ?

— En quoi est-ce admirable ? Que pouvais-je faire d'autre ?

— Sais-tu ce que ce type est devenu ? a-t-il demandé.

— Non, et je préfère ne pas le savoir. Et toi ?

— Pourquoi le saurais-je ? Quelle drôle de question !

— Je n'en ai aucune idée.

— Est-ce que tu me suspectais déjà de ça avant ? »

Je n'ai pas répondu. J'ai décidé de ne pas m'en faire. (Je pourrais m'inquiéter ; oui, j'étais tentée. L'idée m'a traversé l'esprit que, si ce n'était pas le premier homme, c'était peut-être l'autre, celui qui était descendu à la cave boire du vin. Enfin, comment pouvais-je savoir s'il avait bu du vin ? Simplement parce qu'il s'était tenu tranquille ? C'est sûr, celui-ci aussi aimait le vin. Mais qu'y avait-il là d'extraordinaire ? Et puis non, ai-je décrété, il faut que j'arrête la paranoïa ! Il faut que ces pensées s'arrêtent quelque part. Je m'étais trompée une fois, je pourrais me tromper encore.) Nous avons encore bu de l'Eagle Peak, il en avait en fait apporté deux bouteilles, la seconde étant dans l'étui de son ordinateur portable.

« Allons nous doucher ensemble, ai-je dit. On fera peut-être l'amour, ou peut-être pas ! Mais allons nous doucher. »

Il a obéi et m'a suivie. J'ai savonné nos corps et là, dans cette mousse, sous l'eau chaude, les cheveux dégoulinants, les yeux irrités par le savon, suffoquant de fatigue, manquant d'air dans cette cabine saturée de vapeur, piégés dans ce nuage que nous avions créé, nous nous sommes lavés. Il a essayé de me prendre, moi de l'enlacer, mais nous glissions, hors de portée l'un de l'autre ; et nos corps insaisissables m'ont fait perdre l'équilibre au point que je me suis grisée de l'illusion de tomber voluptueusement au milieu des nuages.

Le timbre

J'avais soif de vengeance, je rêve maintenant de pardon. Mes amis, laissez-moi vous raconter comment cela est arrivé. Dans les moindres détails. J'espère que ces ultimes pages de mon journal parviendront jusqu'à vous, que vous resterez avec moi, avec mes pensées, le temps d'en terminer la lecture, et que je serai ainsi avec vous aussi longtemps qu'il me faudra pour les écrire, et au-delà, même si je doute qu'il y ait grand-chose au-delà.

C'était la Saint-Vitus, par une journée ensoleillée du début de l'été, moite de toute la vapeur et de toute la fumée de charbon crachée par les trains dans la vallée. Je transpirais en pressant le pas vers le studio de photo afin que mes amis et les historiens aient de moi une image lorsque je ne serais plus là ; peut-être était-ce pure vanité de ma part d'imaginer qu'ils voudraient une telle chose, mais j'avais aussi des amis et une sœur qui m'aimaient, et je ne me sentais pas le droit de décréter qu'ils ne voudraient pas de ma photo. Ne serait-il pas égoïste de leur refuser cette part de moi-même ? J'ai payé un supplément pour avoir dans l'heure plusieurs exemplaires du portrait ; c'était cher, mais qu'importe, je n'aurais bientôt plus besoin d'argent. Je me suis émerveillé de cette rapidité. Qui sait ce que ce monde nous permettra bientôt de faire à toute vitesse – je regrettais de le quitter avant d'avoir connu les merveilles technologiques à venir. Peut-être un jour les lettres voyageront-elles sans que nous ayons à lécher de timbres ? En attendant, j'ai souri en humectant d'un coup de langue l'endos des fades images d'un François-Joseph à l'air abattu avec ses moustaches de morse pour les lettres, et d'un François-Ferdinand dépourvu d'humour pour les cartes postales. Bientôt, et quoi qu'il arrive, nous n'aurions plus besoin de ces portraits. J'y veillerais. Je me suis assis sur un banc, dans un parc, à quelques pâtés de maisons de la rivière Miljacka, pour écrire à mes amis – et aussi dire au revoir à ma sœur, Jovanka, et à la fille que j'aime, Jelena. Je ne leur ai pas tous écrit la même chose : à ma sœur, j'ai dit que je devais partir au loin. Que nous ne nous reverrions jamais ! J'ai pleuré en écrivant cela.

À un ami, j'ai écrit : « Demain, je ne vivrai plus ; je me meurs d'une terrible maladie pulmonaire. J'ai adoré nos promenades. » (Je n'imaginais pas à l'époque à quel point mon petit mensonge au sujet de la maladie allait devenir réalité. Je m'attendais à être exécuté, peut-être même abattu sur place, mais je suis ici, à me souvenir de tout cela, crachant le sang, le corps secoué par les frissons de la tuberculose – mais ne nous laissons pas distraire du souvenir que j'ai de ce jour-là.) L'idée que dire au revoir me bouleverserait à ce point ne m'avait pas traversé l'esprit. Mon chien Vuk me suivait partout, comme s'il avait deviné que nous ne nous reverrions pas. Je l'ai caressé et lui ai même retiré de l'oreille une grosse tique noire que j'ai écrasée de ma semelle de cuir sur les pavés, où je l'ai entendue éclater. Il a léché le pavé rougi, trouvant goûteux son propre sang, puis m'a léché le menton. J'aurais bien sûr préféré le contraire, d'abord le menton, puis la tique, mais j'ai laissé faire. Je n'avais plus à craindre la maladie désormais, alors pourquoi serais-je dégoûté ? Je n'étais pas un aristocrate ou un bourgeois viennois ou parisien pour me laisser aller au dégoût, même si j'avais envie de céder à la tentation, car tel est le pouvoir de l'endoctrinement culturel et servile que nous subissons, nous les provinciaux. Vuk m'a donné un dernier coup de langue, puis m'a suivi dans la rue. Je lui ai crié de rentrer, et il a fait semblant d'obtempérer, la queue entre les jambes, mais, dès que j'eus tourné le coin de la rue, il était là de nouveau. Je l'ai pris dans mes bras et l'ai ramené à la maison, mais, avant que j'aie pu fermer la barrière de bois, il a réussi à se faufiler, alors je l'ai repoussé et lui ai envoyé un bon coup de pied dans le poitrail. Je pouvais encore l'entendre hurler à un kilomètre. J'étais malheureux. J'ai eu envie de faire demi-tour et de renoncer à mon désir d'écrire l'Histoire. Quel bien me ferait une place dans les livres comparée à la vraie vie et à l'amour d'une créature telle qu'un berger allemand ? Je ne lui en voulais pas de ce qualificatif d'*allemand*, même si je détestais tout ce qui était allemand ; il n'avait rien à voir avec eux, seulement ce nom, le pauvre ! Ils réussissent même à coloniser les animaux. Soudain, l'idée du « plus jamais » m'a beaucoup moins plu. Mais je me suis ressaisi. Il ne fallait pas en faire une question personnelle, je devais être capable de transcender tout cela.

Comme je m'y attendais, la foule s'agglutinait le long du boulevard longeant la rivière, sur le quai Appel, dans l'attente de la parade de l'archiduc, mais il y avait beaucoup de place à l'endroit où je me tenais, près d'un réverbère. Dans les poches de ma veste défraîchie, mes mains étaient moites et froides, et le métal de la grenade était plus chaud qu'elles. J'aurais aimé avoir un browning comme les autres types ; c'eût été plus juste, mais je m'étais révélé piètre tireur et avais raté quelques entraînements. Ma main tremblait toujours un peu, ce qui rendait la concentration difficile. Mais ça ne posait aucun problème quand je lançais un truc comme une pierre ou une grenade. Enfant, à Trebinje, j'adorais lancer des cailloux. Je pouvais faire ça pendant des heures, visant les arbres ou les réverbères, et j'étais le meilleur tireur de ma rue. Une fois adulte, quand je me promenais tard dans le parc Kalemegdan, à Belgrade, il m'arrivait de prendre des cailloux et de les jeter sur des lampadaires sans aucune raison. Même si j'étais athée, j'aimais l'histoire de David et Goliath. Après l'avoir lue dans la vieille bible en cyrillique de ma grand-mère, j'étais sorti, j'avais rempli mes poches de cailloux et défié la plus grosse brute du quartier. Il s'était élancé à ma poursuite, alors je m'étais retourné, j'avais visé la tête et lui avais balancé la pierre en plein front. Il en avait gardé une cicatrice pendant des années. Je redoutais le jour où il me battrait comme plâtre, mais il ne l'a jamais fait. Il avait cessé d'être une brute. C'est pour ça que j'ai choisi la grenade, me voyant comme une sorte de David, mais tout à coup, ma main s'est mise à trembler comme une feuille. J'aurais pourtant dû me sentir honoré de tenir l'engin explosif. Quelques jours plus tôt, me voyant bavarder dans le train avec des inconnus, Gavrilo avait craint que je me sois montré indiscret et me l'avait confisquée. J'aurais pu l'étrangler pour ça ; il ne faisait aucun doute que j'étais plus fort que lui, mais il avait la confiance du groupe et tout le monde m'avait engueulé parce que je parlais trop. Ce n'est que quelques heures avant de prendre position dans la rue que j'ai récupéré la grenade des mains de mon ami arrogant et autoritaire, dans une pâtisserie. Nous ne buvions pas, mais adorions tous les gâteaux à la crème. Allez savoir pourquoi je considérais encore ce type comme un ami.

Je ne pouvais plus reculer, maintenant. Que penseraient de moi mes camarades ? Gavrilo rigolerait. Là, je me trouvais lâche, mais il fallait que personne ne le sache. Et si je ne le faisais pas ? Supposons un instant que je sois allé voir un gendarme et que je lui aie tout avoué au sujet du complot. J'aurais sauvé la vie du futur empereur. J'aurais voulu sauver celle de sa femme, qui était tchèque et aurait dû être épargnée. Mais elle l'avait épousé et s'était donc rendue coupable de trahison, alors tant pis si elle mourait.

Je me disais que le monarque continuerait d'opprimer la Bosnie, et tous les Slaves qui y vivent. Tous ceux qui désiraient de l'avancement seraient encore obligés d'étudier en allemand, de s'incliner devant ces Allemands empâtés et prétentieux, comme s'ils étaient des êtres supérieurs. Et je devrais même courber l'échine devant la canaille hongroise imbibée d'alcool. De toute façon, je n'avais rien à gagner à tout avouer à la police au sujet du complot. Au contraire, ils me jetteraient en prison comme conspirateur. C'eût été tout autre chose s'ils m'avaient offert un appartement à Paris et m'avaient versé une rente jusqu'à la fin de mes jours. Mais jamais ils n'auraient fait un truc pareil, bien sûr. Ce serait la prison. Et même s'ils m'avaient donné un appartement, quelle vie aurais-je eue ? Un homme de la Main noire ou de Mlada Bosna m'aurait exécuté pour trahison.

Et si je me débinais, que je traversais la rivière puis filais vers la montagne sans jamais me retourner, jusqu'à Pale, où je jouirais du grand air et du magnifique panorama ? Qui pouvait dire si l'un ou l'autre de mes camarades parviendrait à tuer l'archiduc ? Je n'avais confiance en aucun d'eux. Alors, si je ne le faisais pas, qui le ferait ?

Et si j'y parvenais, ne serais-je pas triste de mourir ? Je n'avais jamais fait l'amour, ni rien d'important, de toute façon ; je n'avais même pas terminé *Crime et châtiment*. Et alors ? Quel genre de vie pouvais-je espérer ? Le boulot et les hurlements d'enfants crevant de faim pendant que je trimerais douze heures par jour dans une misérable imprimerie à trier des caractères et à m'empoisonner au plomb. Et où irais-je si j'en avais marre ? Dans les mines de charbon pour alimenter les trains autrichiens afin que les bourgeois et les femmes faciles portant jarretelles puissent folâtrer sur nos voies ferrées ? Quant à *Crime et châtiment*, que me restait-il à y découvrir ? J'étais resté coincé au milieu, lorsque ça devient soudain ennuyeux avec toutes ces conspirations, ces confessions et ces jérémiades.

Mais ce n'était pas le moment de me perdre dans mes pensées. Les six voitures miroitaient sous les rayons épineux du soleil de telle sorte qu'on eût dit de fines épées volant vers moi. Et si je ne voyais pas l'archiduc à temps ? Et si je le confondais avec le général Potiorek ? (Le général singeait le duc.) J'ai regardé autour de moi. Un gendarme se tenait à une dizaine de pas. Avait-il remarqué que je l'observais ? Fallait-il me méfier de lui ? Voilà, à force de le regarder, il m'avait remarqué, et le mieux à faire, c'était de ne pas trop avoir l'air de cacher quelque chose. J'ai été tenté de lui dire ce que j'allais faire, juste pour voir sa tête. Mais je n'étais tout de même pas aussi stupide. Je me suis dirigé vers lui et je lui ai demandé : « Monsieur, pourriez-vous s'il vous plaît me dire dans quelle voiture se trouve Son Altesse ?

— Oui, bien sûr, c'est la seconde, répondit-il en montrant du doigt le véhicule le plus étincelant.

— Merci pour ce renseignement, lui dis-je.

— Oh, il n'y a pas de quoi. Nous sommes tous fébriles. C'est un privilège si rare de voir ici le futur empereur ! »

Je me suis éloigné du gendarme et j'ai remarqué les espèces de plumes de paon qui flottaient sur la tête du duc.

J'ai retiré la goupille de ma grenade. Le bruit a été plus fort que ce à quoi je m'attendais. J'ai vu le chauffeur de la première voiture se crisper, jeter un coup d'œil autour de lui et accélérer. Avait-il des soupçons ? Cette fois-ci, c'était fini ! J'étais coincé. Qu'allais-je faire de cette grenade, maintenant ? La jeter dans la rivière derrière moi ? Quel effet cela produirait-il ? Tuerait-elle quelques poissons en train de se gaver de l'étron d'un fonctionnaire autrichien ? Combien de temps pouvais-je garder la bombe dans la main ? Dix secondes. Ça, je le savais. Je l'ai serrée fort dans ma poche. Mes dents claquaient comme si les vents froids de l'hiver s'étaient mis à souffler à travers mes vêtements légers.

La deuxième voiture approchait sur ma gauche, lentement, et se trouvait à une vingtaine de pas. Très peu de policiers montaient la garde sur le trottoir. Je m'attendais à ce qu'il y en ait plus. Peut-être y en avait-il en civil ? Peut-être pas. L'archiduc se vantait de n'avoir pas besoin d'une solide protection ; il voulait paraître courageux. Peut-être l'était-il ? Facile quand on a toute une armée sous ses ordres, même si cette armée est ailleurs.

Huit secondes. Cela semblait incroyablement facile. Je n'aurais plus jamais une telle occasion. Un seul coup, et je libérerais les Serbes – il fallait faire clairement comprendre aux Autrichiens qu'on ne voulait pas d'eux, ou alors il y aurait une guerre, mais d'une manière ou d'une autre nous nous débarrasserions tôt ou tard des étrangers. Il y aurait peut-être beaucoup de morts, mais, au moins, les autres vivraient. Pour le moment, personne ne vivait.

Six secondes ? Une dizaine de mètres me séparaient maintenant de la voiture. La duchesse souriait, savourant les rayons tamisés du soleil. Elle avait les lèvres humides, les dents d'un blanc éclatant, et paraissait toute fraîche… Voilà ce que c'est d'avoir des serviteurs. Je savais qu'elle n'accompagnait que rarement son mari en voyage et qu'elle ne se montrait jamais à ses côtés dans les parades à Vienne parce que, n'étant pas de sang royal, elle n'en avait pas le droit. Mais cette fois, elle lui avait sans doute fait une faveur, ou peut-être lui avait-il vanté la beauté pittoresque des Balkans, et elle n'avait pu résister à cette tentation touristique. Elle semblait parfaitement à l'aise, gentille, mais quel droit avait-elle au bonheur ?

J'ai sorti la grenade alors qu'il restait peut-être trois secondes, la camouflant dans ma paume. À ce moment, l'archiduc m'a jeté un regard, un regard intense, froid. Pendant une seconde, nous ne nous sommes pas quittés des yeux, et j'ai haï ce calme, cette supériorité du haut desquels il me toisait comme si j'étais un spécimen dans un zoo. J'ai pensé qu'il lisait dans mes pensées et qu'il se fichait de moi, persuadé que je n'oserais jamais, qu'il m'était tellement supérieur que j'étais tout juste bon à ramper à ses pieds et à lécher le cirage de ses bottes, et que ce serait même me faire là une grande faveur. Tu vas payer pour ça, ai-je pensé en levant le bras bien haut et en le balançant vers ce regard. Mais j'ai précipité mon geste et le métal a quitté trop tôt la peau moite de mes mains. La grenade a décrit une courbe au-dessus de la tête de l'archiduc qui, voyant l'engin se diriger vers sa femme assise à l'autre bout de la banquette, l'a détourné d'un coup de bras. La grenade a alors atterri sur la capote de la voiture, abaissée pour cause de beau temps, avant de rebondir sur la route, pile sous la troisième voiture, où elle a explosé, projetant une volée de shrapnels sifflants, fauchant les passants, déchaînant des hurlements. La deuxième voiture a accéléré, et j'ai vu une douzaine de types se ruer vers moi. J'ai aussitôt tiré de ma poche gauche le cyanure enroulé dans du papier journal et l'ai enfoncé dans ma bouche, en même temps qu'un peu de l'emballage, afin de ne pas renverser la poudre. Il y en avait plus qu'il n'en fallait pour me tuer, mais j'avais la gorge si sèche qu'il m'a été impossible de déglutir. J'ai retiré le papier et tenté de saliver afin de pouvoir avaler. Je ne voulais en aucun cas être capturé par la police ; il fallait à tout prix que je meure sans délai. J'ai sauté par-dessus une clôture dans les eaux peu profondes de la rivière qui ruisselait entre les pierres. Je me suis tordu la cheville, mais quelle importance ? Je n'avais plus aucune raison de m'en faire avec ça.

Une dizaine de civils et de policiers ont sauté dans la rivière. Je ne me suis pas échappé, n'ai pas résisté, me contentant de m'aplatir dans l'eau froide, prostré. Les policiers m'ont saisi, tiré hors de l'eau, tordu les bras et frappé la tête de leur matraque. J'ai senti un filet d'urine chaude dans mon pantalon – je croyais ne pas avoir peur, mais c'était faux, sauf que mon esprit était trop absorbé pour y prêter attention ; quelque chose en moi avait peur. Pourquoi avais-je tant d'eau en bas et si peu dans la bouche ? J'étouffais tant ma gorge était sèche. Les coups éclataient dans ma tête, chauds.

« Pas la peine de vous acharner sur moi, ai-je dit, j'ai avalé du poison, il ne me reste que quelques minutes à vivre. Ne perdez pas votre temps ! »

Alors qu'ils me tiraient, j'avais des haut-le-cœur. Les effets du poison, ai-je pensé. Suis-je prêt à mourir ? Oh que oui ! Ce serait toujours mieux que d'affronter la police et les procès, et de toute façon, ils me tueraient. Comment ? Serais-je pendu sur la place publique ? Fusillé les yeux bandés d'un foulard noir ? Y aurait-il foule ? Les gens applaudiraient-ils, même ceux qui haïssent les Autrichiens, pour qu'on ne se doute pas qu'ils souhaitent la fin de l'empire ? Les mères y traîneraient-elles leurs enfants afin de leur apprendre l'obéissance et la peur de l'autorité ? Jovanka viendrait-elle, mourrait-elle de chagrin ?

J'avais envie de vomir mais je n'y arrivais pas.

« Qui es-tu ? Comment t'appelles-tu ? » Un policier courtaud me hurlait dans le nez, comme si ce dernier eût été l'organe de l'ouïe, soufflant une haleine qui empestait les dents pourries et l'alcool de prune.

« Je suis un héros serbe ! » ai-je crié. Et c'était vrai, je l'ai compris à ce moment ; mes mots allaient plus vite que ma pensée. Le dire me fit du bien. Il était clair dorénavant que tout cela avait valu la peine. Je me suis même redressé, et un frisson m'a parcouru de haut en bas – mélange de douleur et de fierté.

« Ton nom, comment t'appelles-tu ? »

Qu'est-ce après tout qu'un nom, je vous le demande ? On hérite du nom de notre père, mais un acte héroïque vient du plus profond de notre être. (Je pensais ne pas avoir fait un mauvais lancer – une affaire d'une petite seconde et, vu que je n'avais pas de chronomètre et que je n'avais pas vraiment compté, je ne m'en étais pas si mal sorti ; et puis la voiture n'était passée près de moi qu'une seconde ou deux –, bref, je m'en étais même plutôt bien tiré. Ils savaient sans aucun doute maintenant qu'ils n'étaient pas les bienvenus !)

« Ton nom ! » m'a demandé l'officier en me balançant son pied juste sous la rotule. Mes muscles se sont crispés et j'ai perdu l'équilibre.

Les coups pleuvaient à mesure que j'avançais. Les gens beuglaient, crachaient. Du sang me dégoulinait du crâne, engluant mes paupières. Mais cette tiédeur sur mon visage ne me dérangeait pas, j'avais l'impression qu'elle m'enveloppait, me protégeait, me guérissait. Tant qu'il y avait du sang sur moi, je me sentais en sécurité. Cela n'a aucun sens, mais que voulez-vous que je vous dise, c'est ce que j'éprouvais. Et j'irai même jusqu'à dire que j'étais heureux. J'avais fait mon boulot. J'étais libre désormais. Ils pouvaient m'embastiller, me tuer, peu m'importait, car j'avais fait mon devoir. Pourtant, j'avais cru que je n'y arriverais pas. Je souriais de bonheur. Quoi qu'ils me fassent, ils ne me dépouilleraient pas de mon héroïsme. Plus besoin pour moi d'accomplir autre chose. Tout était là. Mon geste valait mieux qu'un doctorat, mieux qu'une médaille olympique.

Je ne sais pas combien de temps j'ai passé dans une pièce obscure de la caserne, où je m'étais étendu sur un banc de bois s'étirant le long du mur, ni s'il faisait vraiment noir ou si c'était ma vue qui faiblissait. Plusieurs officiers sont venus m'interroger pendant la journée, puis ils sont revenus durant la nuit, me posant inlassablement les mêmes questions dans l'espoir que je me trahisse. Au début, j'ai menti, mais après, cela n'avait plus d'importance, je voulais juste ne dévoiler aucun nom, comme celui de l'endroit où je dormais, par exemple, pour ne pas causer d'ennuis aux gens que je fréquentais. Ils me semblaient crédules. Ils prenaient des notes, semblant croire tout ce que je leur racontais. Alors, quand ils m'ont demandé si je faisais partie d'une organisation comme la Main noire, je leur ai répondu, plus à la blague qu'autre chose, que je travaillais pour l'Internationale des francs-maçons.

Je ne sais rien des francs-maçons si ce n'est que les catholiques autrichiens redoutent toutes sortes de conspirations émanant d'eux. Je leur ai dit que nous voulions un monde sans monarques, sans monarchies et sans nations, un monde de paix.

Bizarrement, ils m'ont cru et, d'après ce que j'ai entendu plus tard, ils ont colporté cette rumeur pendant des mois, devant les tribunaux, dans les journaux – une petite blague de rien du tout qui les a bien fait marcher. J'aurais aimé leur faire gober d'autres histoires ridicules, mais ils ont tellement insisté sur celle-ci, encore et encore, que j'ai fini par me lasser. Ces types, ce n'étaient pas des marrants !

La lampe était posée juste en face de moi, sur la table, m'empêchant de voir au-delà, et je n'entendais que la voix du policier qui sortait du noir. Ce n'est pas que je voulais voir ces affreux bonshommes, mais ces voix sorties de nulle part me donnaient froid dans le dos.

« Pour qui travailles-tu ?

— Pour personne.

— C'est faux, nous le savons. D'autres hommes après toi ont sorti une arme et tiré sur le prince héritier. Il est mort. T'es content ? »

Je ne savais que penser. J'étais à la fois content et pas content. Ainsi, quelqu'un avait réussi ! Je croyais être le seul à pouvoir le faire, et avoir essayé était déjà très bien, mais un autre l'avait vraiment fait, lorsque Sa Majesté était revenue, longeant le quai.

« Ont-ils tué quelqu'un d'autre ? ai-je demandé.

— Oui, l'épouse de Sa Majesté.

— Qui les a tués ?

— Gavrilo Princip. Tu le connais ?

— Oui, mais je ne savais pas qu'il projetait de faire ça. »

Étrangement, j'étais jaloux de Princip. Je n'aurais jamais cru qu'il réussirait. Et c'est lui maintenant qui serait auréolé de gloire, lui à qui on accorderait le statut de saint en Serbie. Et moi, je mourrais dans l'anonymat. Mais j'étais heureux tout de même. L'émotion me submergeait, et ce, en dépit de mon état d'hébétude. Le tyran avait disparu. Nous avions réussi. Quel plan superbe, à bien y penser, ces hommes tirant l'un après l'autre ! Peut-être qu'aucun d'eux n'aurait agi si je n'avais ouvert le bal et montré combien c'était facile. Mais pourquoi l'archiduc avait-il choisi de revenir en longeant le quai ? De toute évidence, ma grenade avait semé la confusion dans les esprits et ouvert la voie à l'assassinat.

Les interrogatoires se poursuivirent, interminables. Ils étaient obligés de répéter la même question deux ou trois fois parce que je n'arrivais tout simplement pas à me concentrer. Ils trouvaient que j'étais un sale type et me tiraient les oreilles comme à un écolier. Mais ils ne me frappaient plus.

Ils me manipulaient et jouaient avec mes émotions. « Ne mens pas, me disait un policier. On sait que Gavrilo est l'un de tes meilleurs amis. Et tu sais quoi ? Il a avoué qu'il a été tenté de te tirer dessus après que tu as lancé la grenade et raté ta tentative de suicide. Il dit que, si tu n'avais pas été aussi loin, il t'aurait abattu et se serait suicidé ensuite pour que personne ne puisse rien découvrir de ce complot. Que dis-tu de ça ? »

Ça ne m'a pas fait plaisir. Pensez-y, la méchanceté de ce type ! Il lui était sans doute plus facile de se lier d'amitié avec des idées qu'avec des gens. Et s'il était un jour devenu chef politique, il n'aurait pas hésité à tirer sur ses amis si ses idées le lui avaient dicté. J'étais dégoûté, moi qui pensais qu'il avait tout ce qu'il faut pour être un grand meneur d'hommes. Mais peut-être me mentaient-ils ?

« Regrettes-tu ce que tu as fait ? » m'ont-ils demandé je ne sais combien de fois.

Certainement pas. Mon seul regret, c'était de n'avoir pu mener à bien mon plan. Des regrets aussi pour les passants que j'avais blessés. Ils étaient maintenant à l'hôpital, en sang, en proie à la fièvre, et vu l'état de notre système de santé, qui n'était pas le nôtre, bien sûr, mais celui des Autrichiens, ils attraperaient peut-être la gangrène et mourraient, lentement, dans d'atroces souffrances, tout ça à cause de mon manque de précision. Que n'ai-je mieux maîtrisé mes émotions! Dans mon zèle et mon empressement, j'ai lancé trop fort. Une seconde de plus pour viser et me dominer, et j'aurais réussi. J'ai été trop rapide d'une seconde ou deux pour l'histoire, à moins que ce soit l'histoire qui ait eu une ou deux secondes de retard sur mon tempérament bouillonnant.

J'ai été malade un jour ou deux, pris de vomissements, incapable de garder la moindre nourriture. Le cyanure faisait quand même un peu effet, juste assez pour me brûler la gorge. Je pense qu'il était trop vieux. Tout ce serait mieux passé si la grenade avait été plus vieille et le poison plus jeune. J'espérais encore mourir, mais rien ne se passait. Trop faible pour mourir. Je dormais affreusement mal dans ma cellule; le nez et la gorge me brûlaient. Je grelottais, bien qu'il ne fît pas froid, mais ma santé avait toujours été fragile. Dès que je m'endormais, les chaînes résonnaient dans un tintement sourd. Elles étaient froides et lourdes. J'arrivais quand même à bouger le jour. Quand j'ai entendu des hurlements et des gémissements terribles monter de la cour, j'ai jeté un coup d'œil par la fenêtre et j'ai vu des policiers matraquer des dizaines d'hommes. Des Serbes. Le soleil tapait dur; nombre d'entre eux avaient la bouche ouverte à cause de la chaleur et de la soif. Nous étions pourtant très peu à avoir trempé dans ce complot. Ce matraquage de masse était arbitraire et insensé. Les murs amplifiaient l'écho de leurs gémissements, de leur douleur, qui revenait se mêler à leurs cris. Nous étions bien loin de la liberté dont nous avions rêvé pour notre peuple. Quelques-uns de ces hommes qui se tordaient de douleur étaient âgés, mais d'autres n'étaient même pas des hommes, tout juste sortis de l'enfance. Je ne savais pas quoi faire et, de toute évidence, je ne pouvais rien faire d'autre que regarder. Et même ça, on m'en a empêché. Quand des potences ont été dressées et des hommes pendus – pourquoi ? Pour ce qu'ils étaient ? –, un gendarme m'a tiré dessus, me ratant de peu. La vitre au-dessus de ma tête a volé en éclats, un morceau de verre m'entaillant la joue, les autres s'éparpillant sur le sol. Maintenant, je ne pouvais plus regarder, mais j'entendais encore mieux par la vitre brisée.

Après les pendaisons, le lendemain, le matraquage a recommencé et a duré des heures. Être la cause de tant de douleur me désolait, mais renforçait en même temps ma haine de la monarchie, et j'aurais aimé tuer à la fois le monarque et le général.

Je me sentais terriblement seul dans ma cellule. Incapable de parler à mes amis, j'ai mis au point un système de communication – j'écrivais sous mon assiette, et les assiettes se déplaçaient d'un cachot à l'autre. Princip et Ilic ont saisi le truc, et nous avons échangé des dessins, des blagues et bien d'autres choses. Nous avons aussi transmis des messages à travers le mur en alternant coups faibles et forts – nous avions déjà mis au point le code, dans l'éventualité où nous en aurions besoin. J'avais piqué l'idée dans un manuel russe. Un jour, j'ai tapoté sur le mur d'Ilic, mais il n'a pas répondu. Certain qu'il s'était pendu, j'ai transmis le message à Princip, qui m'a fait savoir qu'il était triste de l'apprendre. Le lendemain, Ilic m'a tapé un message – j'étais fou de joie de le savoir vivant, tout comme Princip quand je lui ai communiqué la nouvelle. Il ne faisait pas de doute que j'avais sauté trop rapidement aux conclusions. Mais converser en code avec les autres à travers le mur ne parvenait pas à combler mon désir de contacts humains, ni à entamer ma solitude. Et de toute façon je savais que taper sur le mur finissait invariablement par attirer un gardien autrichien qui, furieux, me hurlait de cesser. Aussitôt qu'il avait tourné le dos, je recommençais, alors il revenait et criait encore. J'étais étonné qu'ils ne parviennent pas à déchiffrer notre code – peut-être ne savaient-ils même pas que nous communiquions.

Pour le procès, on nous a réunis au tribunal où nous avons été interrogés et contre-interrogés tout au long du mois d'octobre. Puisque nous ne nous rasions pas, nous portions tous alors une barbe ou un bouc. Aucun de nous n'arborait de barbe drue et noire, tout juste quelques poils qui nous donnaient un petit air à la Tchekhov. Comme c'était la première fois que je voyais mes amis depuis la fin juin, je n'ai pas prêté attention à ce que disait le juge pendant un moment. Je gloussais de bonheur d'être en présence de mes camarades. Après tout, nous n'étions que des enfants ; et si seulement nous nous étions contentés de n'être que des enfants. Je me sentais comme un mauvais élève incapable de réciter sa leçon, et le mauvais caractère du gros juge ne rendait la chose que plus distrayante.

Princip était fier et d'humeur belliqueuse. Il avait été battu dans la rue au moment de son arrestation, et son nez était plus épaté qu'autrefois, mais il s'exprimait clairement, d'une voix forte et retentissante. Je me demandais où il puisait la force de parler avec tant de vigueur. J'étais bien plus costaud que lui et, pourtant, ma voix était faible, sans aucun éclat.

Ce qui m'a fait le plus mal, c'est d'apprendre qu'un homme charmant, père d'une grande famille, qui nous avait laissé dormir dans sa maison alors que nous étions en route pour Sarajevo, avait été exécuté. Je n'avais pas prononcé son nom, peut-être Princip l'avait-il fait. Quelle malchance pour lui. Il ne savait même pas ce que nous complotions, et voilà que maintenant ses enfants allaient grandir sans lui. La poursuite usa de cet exemple pour exiger qu'une lourde peine nous soit infligée, puisqu'un tel homme avait payé de sa vie pour ce que nous avions fait. Je déplorais sincèrement sa mort.

Et mon chagrin n'a fait que grandir quand le procureur a demandé : « Savez-vous quels ont été les derniers mots de l'archiduc ? "Sophie chérie ! Ne meurs pas ! Reste en vie pour nos enfants !" Pouvez-vous imaginer cela ? Vous avez fait trois orphelins ! Il est incontestable que vous méritez de mourir, et que vous soyez mineurs n'y change rien. »

Je ne savais pas que l'archiduc avait des enfants. Et d'apprendre qu'il pensait à eux au moment de mourir, tout comme sa femme à n'en pas douter, m'a bouleversé. Je n'étais absolument pas préparé à cela ni à ma réaction. Peut-être était-ce l'estocade dans cette litanie de mauvaises nouvelles. Je suis sûr que mon père n'aurait même pas pris la peine de penser à moi. Ces enfants, qui avaient eu la chance d'avoir des parents aimants, avaient aussi eu le malheur d'être tombés sur nous.

Le procureur nous montra des photos de ces adorables petits. Un des garçons portait d'épais cheveux noirs, ondulés, soyeux, séparés comme les miens à droite, formant une vague drue ; l'aîné avait les cheveux plus courts et l'air sérieux, ses sourcils avaient la même inclinaison que les miens, et il affichait la même expression sans joie que moi, comme s'il posait lui aussi pour l'histoire. Si vous preniez ces deux garçons et en mélangiez les traits, vous m'obteniez, moi, enfant ; je sentais qu'un lien étroit nous unissait. Mais comment était-il possible qu'ils me ressemblent autant ? Comment s'étaient-ils retrouvés coincés dans la famille royale ? La fille portait un nœud blanc dans la superbe chevelure qui lui tombait sur l'épaule et dévalait jusqu'aux hanches. Elle aussi avait l'air sérieuse et magnifique. Tous fixaient l'objectif, mais la mère – ils avaient hérité de sa beauté – les regardait, surtout la fillette, avec un mélange de fierté et d'inquiétude, comme si elle avait une prémonition. Personne ne souriait. Pourquoi ? N'est-il pas juste que les enfants soient heureux ? Peut-être ne l'avaient-ils jamais été. J'étais désolé pour eux qu'ils aient eu un tel père. C'est peut-être pour ça qu'ils n'arrivaient pas à rire, même s'ils n'étaient que des enfants. Peut-être ne grandiraient-ils que pour devenir des monstres. Peut-être pas. Ils étaient beaux et attendrissants, et sans doute le devaient-ils à leur sang slave.

Sophie chérie ! Ne meurs pas ! Cette phrase résonnait sans cesse dans mon esprit. Cela me rendait fou. Impossible d'écouter les questions après cela, alors j'ai bondi de ma chaise et crié : « Pardon pour ce que nous avons fait, nous sommes désolés pour les orphelins… » Je sais que j'ai prononcé tout un discours, mais je ne me souviens pas exactement de ce que j'ai dit, sauf que tout le monde m'a écouté pendant un moment. Dieu que je parlais bien !

« Parle pour toi, m'a interrompu Princip. Moi, je ne regrette rien. Ils ont rendu orphelins beaucoup de nos enfants. Pourquoi ne te désoles-tu pas pour eux ? Je te défends de parler en mon nom !

— Je suis profondément désolé. Et je suis surpris qu'il ne le soit pas. Je… je… » À ce moment, ma voix s'est brisée, étouffée par les larmes que je refoulais et qui avaient envahi ma gorge plutôt que mon nez. Ah ! si seulement j'avais disposé de ce liquide salé au moment d'avaler le cyanure, je n'aurais pas eu à vivre avec ce que j'ai fait à ces enfants, et je ne me serais pas querellé avec Gavrilo !

« Il cherche juste à obtenir votre clémence, a lancé Gavrilo.

— Laisse-moi tranquille, ai-je rétorqué. Que sais-tu de moi ? Que sais-tu des êtres humains ? Tu ne connais que les livres et les idées. Non, je ne cherche pas la clémence. Au contraire, je veux être puni. Et tout ce que je veux avant de mourir, c'est que les enfants me pardonnent. Mais comment le pourraient-ils ? Non, il vaut mieux qu'ils ne me pardonnent pas. »

Sophie chérie ! Ne meurs pas ! Reste en vie pour nos enfants ! J'imaginais les petits près du cercueil, essayant d'atteindre leur maman, de l'embrasser ; mais ils ne pouvaient pas, tétanisés par la peur de la mort, ou par le dégoût, ou tout simplement parce qu'il leur était interdit d'approcher. Sans doute ce moment était-il déjà passé pour eux. Qu'avaient-ils fait ? S'étaient-ils effondrés en hurlant, poussant des cris perçants, alors que le monde autour d'eux se décomposait à travers leurs larmes, dans les rais de lumière des vitraux de la cathédrale, saturés de vermillon ? Ou bien étaient-ils restés immobiles, assommés, accablés d'un chagrin trop profond pour les larmes, mortifiés, écrasés, incapables peut-être de prononcer un mot, de respirer ? Peut-être se sont-ils sentis comme moi, quand les policiers m'ont roué la tête et l'entrejambe à coups de matraque ? Peut-être ont-ils mouillé leur culotte de terreur et de chagrin et perdu la sensation de leur corps ?

Je ne parvenais pas à maîtriser mes émotions, sanglotant en plein tribunal pour une famille que j'avais tenté d'assassiner. Je me fichais de ce que les gens pensaient. Et comme j'étais le seul de notre groupe à pleurer, je me suis dit qu'il fallait pleurer plus encore pour racheter l'insensibilité de mes camarades.

Je ne m'en serais pas voulu autant si nous nous étions simplement débarrassés de leur père. Je pense même que nous leur aurions rendu service. Je haïssais mon père, et il me haïssait; il me battait tous les jours. Quand je suis devenu plus grand et plus fort, qu'il n'a plus été capable de me dominer, il m'a fait jeter en prison pour une querelle que j'avais eue avec notre servante. Il a ramené un gendarme à la maison. J'avais demandé à la servante de se déshabiller devant moi. Elle avait refusé et hurlé pour que je la laisse partir. Je ne l'avais même pas touchée. Je n'ai pas compris pourquoi cela avait produit sur mon père un tel effet. Peut-être qu'il la désirait et qu'il pensait que nous étions des rivaux? Je n'aurais pas été étonné d'apprendre qu'elle était sa maîtresse; ce salopard n'avait aucun sens moral. Il m'avait envoyé faire mon apprentissage de forgeron parce qu'il trouvait médiocres mes notes à l'école. Et là, juste pour rigoler, le maître-forgeron m'avait collé un morceau de métal brûlant sur la nuque. J'en ai gardé une cicatrice. J'ai la nuque plutôt velue, mais rien ne pousse sur la diagonale de cette brûlure. Tout cela à cause de mon père. Je pense que personne ne l'aimait. Il tenait une taverne, et comme il était incapable de laisser passer une occasion de faire de l'argent, il était devenu informateur pour la police. N'était-ce pas un boulot de rêve, pour un informateur, que de passer sa vie à remplir de gnôle le verre des clients? Il espionnait pour les Autrichiens et adorait les Habsbourg. Je lui ai même fait la blague de me procurer un drapeau autrichien que j'ai fait flotter sur la maison le jour de l'assassinat, afin d'éloigner les soupçons du meurtrier que j'étais. Par-dessus tout, je voulais tuer l'empereur pour atteindre mon père. Allez savoir pourquoi, je n'ai jamais pu me résigner à tuer celui-ci. Trop personnel! Mais tuer l'empereur, puisque l'archiduc était destiné à le devenir, ça, ça aurait été parfait. Sans l'odieuse influence que mon père avait eue sur moi, je ne me serais jamais enrôlé dans un groupe aussi subversif. Je me réjouissais de la mort des pères. Par contre, celle des mères me dévastait. Peut-être même était-ce terrible aussi que leur père ait été tué. Peut-être l'aimaient-ils, peut-être était-ce un bon père. Qui suis-je pour en juger, seuls les enfants en avaient le droit.

Je n'en pouvais plus de ce procès. J'imaginais les trois enfants, très gâtés, il est vrai, mais des enfants tout de même, et les enfants sont si purs que, même gâtés, on ne peut leur reprocher de l'être tant ils sont innocents… Ils ne verraient plus jamais leurs parents, plus jamais ils ne s'assoiraient sur leurs genoux pour y écouter des histoires avant de s'endormir. Le Petit Chaperon rouge, Robin des bois… Enfin, peut-être pas Robin des bois. Sans doute pas. Mais ils entendraient l'histoire de l'assassinat. Ils nous haïraient, Princip et moi. Jamais ils ne pourraient nous pardonner.

S'ils avaient aimé boire du chocolat chaud avec leur mère, jamais plus ils ne le feraient.

Cela m'a étonné que le juge ordonne que, comme nous n'avions pas vingt ans, nous soyons emprisonnés plutôt qu'exécutés. Nombreux étaient ceux qui, ayant dépassé cet âge, allaient être exécutés alors qu'ils n'étaient mêlés que de très loin au complot, et beaucoup l'avaient déjà été, sous nos fenêtres, et à Trebinje, la ville dont je suis originaire. D'une certaine manière, j'aurais préféré une exécution sommaire. J'allais maintenant passer des années en prison sans qu'il me soit permis de lire les journaux. Si seulement j'avais pu suivre le cours de la guerre depuis ma cellule, tout aurait été différent, je ne me serais pas fait tant de soucis. Nous aurions vu l'avènement de tout ce dont nous avions rêvé : l'effondrement des Habsbourg, l'émancipation des Slaves du Sud. Tout cela aurait donc valu la peine. Princip, Grabez et moi avons été transférés à la prison de Theresienstadt. Un affreux voyage dans un train glacial ; nous étions enchaînés à nos bancs et on aurait dit que tous nos os s'étaient rompus à force de se cogner contre le métal.

À Theresienstadt, le lit était dur, infesté de puces, froid. On ne chauffait pas la nuit, et j'étais entravé de menottes et de chaînes qui pesaient plus de dix kilos et vidaient mon corps de toute chaleur. Parfois, l'eau de la cruche gelait durant la nuit. C'est comme ça que je savais que le froid n'était pas le fruit de mon imagination. Aucun doute, donc, il faisait vraiment froid. Il m'a fallu des mois pour comprendre que, en mettant mon boulet, que j'arrivais à peine à soulever, sous mes couvertures avec les chaînes, je perdais moins de chaleur et n'avais plus aussi froid. Puis j'ai commencé à frissonner de manière chronique, et il n'était soudain plus si important d'avoir trouvé un moyen de me garder au chaud.

J'ai fini par attraper la tuberculose. Et j'ai appris que Gavrilo l'avait aussi. Peut-être en étions-nous tous déjà atteints avant l'assassinat. Je sais que Princip disait qu'il l'avait probablement, et que Grabez pensait lui aussi en souffrir, et que c'est sans doute pour cette raison qu'ils voulaient mourir. Moi, je toussais durant l'hiver, mais ça ne signifiait pas pour autant que j'avais la tuberculose. Je pense que je ne l'avais pas. Et comment l'aurais-je attrapée ? Je crois que ce sont les Autrichiens qui nous l'ont donnée, exprès ; je suis sûr qu'ils nous ont servi de la nourriture contaminée et de l'eau fétide. N'ayant pas le droit de nous exécuter, ils ont décidé de nous tuer sournoisement en nous inoculant la maladie. J'en suis quasiment certain. Quand ils ont découvert que nous étions malades, ils n'ont rien fait pour nous sauver. Ils auraient pu nous envoyer à la montagne. Ils auraient pu chauffer nos chambres. Ils n'ont rien fait. C'était leur façon de nous tuer.

J'avais perdu le goût de vivre depuis un moment. Les murs étaient si épais qu'il était impossible de taper des messages codés à Gavrilo et Grabez. Je me sentais affreusement seul, si seul que j'acceptais même les visites d'un prêtre. Ce prêtre était parfois un vrai rabat-joie ; il tenait à me confesser, à me faire prier avec lui, et en plus il ne connaissait aucune blague. Je lui en ai raconté une, et il n'a même pas ri. C'était la seule que je connaissais. Debout sur un quai, deux Monténégrins voient un bateau couler et entendent des hommes appeler à l'aide.

« Regarde, dit un des deux Monténégrins, ces hommes sont en train de se noyer, et nous, tout ce qu'on fait, c'est rester là, debout sur le quai.

— Tu as raison, lui répond l'autre. Assoyons-nous. »

Au lieu de rire, le prêtre a voulu prier avec moi. Alors nous avons prié. J'étais sincère, et je le suis encore. J'ai prié avec lui pour être pardonné de ce que j'ai fait aux trois enfants.

Et voilà qu'aujourd'hui mes prières sont exaucées. Le prêtre m'apporte une lettre superbement calligraphiée. *Cher Nedjeljko, nous vous pardonnons. Nous sommes désolés que vous éprouviez tant de souffrance. Nous savons que vous avez été fourvoyé. Puisse Dieu vous accorder lui aussi son pardon et vous bénir. Nous savons que votre âme est bonne, que vous vous êtes repenti.*

C'est une lettre des enfants de l'archiduc ! Je ne sais comment réagir ; je suis tout simplement stupéfié. Je ne cesse de la relire, admirant chaque arabesque, chaque boucle de ces lettres magnifiquement tracées. J'ai toujours aimé les lettres – ce n'est pas un hasard si je suis devenu typographe –, mais jamais je n'en ai vu de plus belles. J'approche la page de mon nez – une odeur d'encre et de lilas –

et je tombe en pâmoison. Mais je me pâmerais peut-être de toute manière. Je n'ai même pas vu le prêtre partir. D'ailleurs, est-il vraiment sorti ? Peut-être est-il là pour m'enterrer. Peut-être suis-je en train de mourir. « Est-ce une vraie lettre ? » me demandé-je, pris d'un doute soudain. Il faut que je voie l'enveloppe. Si elle n'a pas de timbre, comment saurai-je d'où elle vient ? Peut-être le prêtre l'a-t-il écrite ? Peut-être a-t-il commis ce petit mensonge bienveillant par compassion pour moi, mais j'en doute ; il est incapable de tant de beauté, ou d'écrire si joliment. Je farfouille sur la table du bout des doigts et je tombe sur une belle enveloppe beige. Le cachet bleu indique qu'elle arrive de Vienne. Alors c'est vrai, la lettre vient d'eux, de ces âmes merveilleuses que j'ai meurtries. Soudain, sur l'enveloppe, je vois François-Ferdinand qui me fixe de son regard froid et détestable, ce même regard affreusement méprisant qu'il m'a jeté au moment où je lui ai lancé ma grenade ! Je ne veux pas voir cette image. Est-ce un fantôme ? Je cache l'image sous mon pouce et je sens la fine dentelure. Non, je ne vais pas le laisser se tapir ainsi. Je déchire le timbre et son image en mille morceaux et j'avale tout, me délectant de la colle et de l'encre qui se mêlent dans ma gorge.

Cette confession sous forme de lettre, vraisemblablement écrite par l'authentique main tremblante de Nedjeljko Cabrinovic dans sa prison de Theresienstadt en janvier 1916, a récemment été retrouvée dans le grenier d'un prêtre disparu depuis fort longtemps, N. M., avant que sa maison ne soit rasée pour laisser place à l'agrandissement d'une brasserie mondialement connue de Plzen. Pendant quelque temps, D. M., le directeur général de l'entreprise, a gardé cette lettre qu'il lisait à ses invités pour leur faire plaisir, mais quand il en a fait la lecture devant Sacerby, le ministre bosniaque a exigé que ce document soit remis au gouvernement bosniaque de Sarajevo pour ses archives. Cette lettre a-t-elle été détruite pendant le siège de Sarajevo ? Est-elle tombée entre les mains d'intérêts privés ? Entre celles du gouvernement ? Cela reste un mystère, et la confession présentée ici est une reconstitution le plus fidèle possible de l'original d'après les récits d'une douzaine d'anciens clients de la brasserie.

Le texte s'arrête là, au bas d'une page de l'original disparu, rongé par les souris. L'histoire, ou plutôt, l'Histoire, ne s'arrête pas là, ni d'ailleurs avec l'addenda qui suit.

Le service de police de Sarajevo demanda à la prison militaire de Theresienstadt que le corps de Cabrinovic soit décapité et que son crâne soit envoyé à Sarajevo où il serait conservé au musée, dans un bocal, pour l'édification des générations futures. Après une longue correspondance entre différents services du gouvernement autrichien, il fut plutôt décidé de laisser intact le corps de Cabrinovic. Bien des gens complotaient pour récupérer ses os et ceux de Princip ; ce n'aurait pas été la première fois qu'un crâne aurait disparu. Le crâne de Bogdan Zerajic, qui avait tenté d'assassiner un gouverneur régional de Bosnie, en 1910, fut exposé au Musée du crime se Sarajevo. L'inspecteur en chef de la police l'utilisait à l'occasion comme encrier, pour intimider les prévenus au moment des interrogatoires, leur promettant que, s'ils s'obstinaient à ne pas tout avouer, leur crâne serait destiné au même usage. En 1919, le crâne de Zerajic retrouva le reste de son corps, mais lorsque ce dernier fut exhumé, en 1920, pour être jeté dans une fosse commune, le crâne avait de nouveau disparu. Son cadavre décapité fut ainsi placé dans la fosse commune avec ceux de Princip (dont le corps était entier à l'exception d'un bras, que lui avait mangé la tuberculose osseuse), de Grabez, de Cabrinovic et de quelques autres conspirateurs.

Les visiteuses du soir

Un grand boum sur la porte. Je saute du lit et me dirige vers l'entrée. Je vis au beau milieu de la forêt nationale Wayne, en Ohio, le long d'une petite route peu passante, et mon voisin le plus proche habite à un kilomètre. Je ne devrais pas répondre, ou alors garder un pistolet sous la main. Mais je prends habituellement le risque d'ouvrir sans autres fâcheuses conséquences que de subir les propos ennuyeux des mormons qui, bien sûr, ne se déplacent que le jour, lorsque le temps est magnifique, divin.

Mais là, il fait terriblement noir. Les silhouettes de l'autre côté de la porte me semblent familières. Sans doute est-ce Mimi et John, le couple qui garde ma maison, qui ont besoin de quelque chose. Mon chien n'aboie pas, mais leur renifle l'entrejambe ; peut-être ont-ils fréquenté quelque lieu intéressant. Je les entends glousser. J'ouvre la porte et suis aussitôt assailli par une bouffée d'air froid et par la vision de deux parfaites étrangères, une grande aux cheveux longs et une potelée aux cheveux courts, qui finissent de me réveiller et de me faire prendre conscience que je ne suis pas tout à fait présentable.

Mais je ne suis pas non plus totalement indécent, alors je n'offre pas d'excuses et ne claque pas la porte, restant planté là dans mes sous-vêtements de coton. Au moins, ils sont américains, et donc assez grands, pas faits pour séduire l'œil, mais pour couvrir un maximum de peau. Je viens tout juste de rentrer d'un voyage de recherches en Italie, où je n'ai pu acheter que de minuscules slips italiens dans un centre commercial, ou alors des strings, parfaits pour le carnaval ou pour un gigolo. Je portais ce genre de sous-vêtements quand j'étais enfant, en Italie, où j'ai grandi, mais, en venant étudier aux États-Unis, j'ai dû me contenter de ce que je trouvais et j'ai fini par m'y habituer au point d'aimer ça. Là, je suis bien conscient d'être en sous-vêtements alors que la grande femme s'adresse à moi sur un ton suppliant. « Pouvez-vous nous aider ? Nous sommes sorties de la route et sommes tombées dans un fossé. »

Elle tire de ses doigts les boucles légères et soyeuses de sa chevelure châtain. Elle a un nez droit et fin, des lèvres pleines et une lueur dans le regard. Elle semble joyeuse en dépit du fait qu'elle éprouve manifestement des ennuis.

« J'aurais bien aimé avoir un camion pour vous tirer de là, lui dis-je.

— Pourrait-on entrer et utiliser votre téléphone ?

— Certainement », réponds-je avant de les guider vers le salon, avec son grand tapis persan si moelleux sous les pieds nus.

Puis je vais dans la chambre enfiler mon jean avant de revenir.

La grande femme essaie par trois fois de composer un numéro pendant que je jette une bûche dans le poêle tout en remuant les braises, émerveillé de les trouver encore si ardentes. Je vois avec plaisir les flammes lécher presque instantanément la bûche, et je referme la porte.

« Ça ne passe pas, dit la grande.

— Essayez plus tard. Aimeriez-vous une tasse de café ?

— J'adorerais. Et, en passant, je m'appelle Marietta. »

Je mouds des grains d'expresso italien (Illy) et fais couler un café bien fort, lequel, accompagné d'un peu de chocolat suisse, dégage un arôme revigorant, promesse de délices et de plaisirs, qui ne laisserait indifférent aucun accro à la caféine.

« Comment vous êtes-vous retrouvées dans le fossé ?

— On roulait tranquillement et, tout d'un coup, un foutu de gros cerf sorti de nulle part a jailli sur la route. J'ai donné un coup de volant et on s'est retrouvées dans le fossé.

— Bonne décision. Mieux vaut le fossé que le cerf. Plus sûr, selon moi. Dans quel état est votre voiture ?

— Juste un peu cabossée. Le phare avant droit est brisé, c'est tout. »

Je ne leur raconte pas que, l'autre jour, j'ai percuté un grand cerf à la ramure majestueuse. Je me frottais les yeux, après une longue journée passée à la bibliothèque, tout en essayant de dégivrer le pare-brise quand, tout à coup, Sa Majesté a bondi dans mon champ de vision. J'ai freiné et braqué à gauche parce que, déjà, il se déplaçait vers la droite. Puis il y a eu un choc. Qu'avais-je frappé ? Ses jambes ? Ses sabots, qui devaient se trouver en l'air au moment du saut ? Peu importe, la voiture a continué d'avancer, et j'étais certain que le cerf était toujours en vie. Je n'ai pas essayé de partir à sa recherche. La saison de la chasse est ouverte, et je me suis dit que quelqu'un finirait bien par l'avoir. Quant à m'apitoyer sur son sort, maintenant que je n'avais plus aucune lumière dans la voiture… Incapable de voir l'odomètre, j'ai conduit avec l'impression d'avancer à la lueur d'une lanterne. En arrivant à la maison, j'ai vu que le capot était froissé. Ça n'avait pas l'air très grave, mais un type dans une carrosserie minable m'a dit que ça me coûterait trois cents dollars. Trois cents balles ! J'en aurais bien mis une ou deux dans ce pauvre cerf! Comme j'ai une vieille Sentra, ça me coûterait moins cher de trouver les phares et les breloques pour le monter dans une casse, mais toutes celles que j'ai trouvées étaient à court de pièces.

Bon, le phare droit de Marietta est fichu! Méthode différente, mais cause identique : évitement d'un cervidé. Je demande : « Vous rentriez d'une fête? Vous aviez bu? Désolé de vous poser la question.

— Oh non, répond l'autre fille. On n'était pas soûles. On avait à peine descendu quatre ou cinq bières chacune.

— Ça me suffirait, à moi, dis-je. Pas de fête?

— Non, répète Marietta. On cherchait ma tante. Je me souvenais à peu près où elle vivait, mais on s'est perdues et on a continué à rouler sur ces petites routes, incapables de comprendre comment sortir de ce labyrinthe.

— Et ça vous a pris jusqu'à quatre heures du matin pour arriver ici? À quelle heure êtes-vous parties? (Si on se perd, combien de temps peut-on rester perdu? Admettons qu'elles aient cherché la tante à dix heures, heure dans les limites du raisonnable pour chercher une tante. Elles auraient erré pendant six heures? Cela sonne faux, mais, par tous les diables, faisons semblant de gober leur histoire, me dis-je.)

— On s'est arrêtées acheter des cigarettes. Qu'est-ce qu'on a fait d'autre, Shelly? »

Le café est prêt maintenant, et je l'offre fièrement à Shelly et Marietta.

« Dieu que ce café est bon! Quel goût merveilleux! » Shelly s'extasie, mais je ne la vois pas boire, et elle a abandonné sa tasse près de son fauteuil à bascule.

« Merci, lui dis-je. Pourquoi n'essayez-vous pas de nouveau ce numéro?

— Bonne idée », acquiesce Marietta. Et Shelly poursuit : « Ça vous dérange si je vais à la voiture chercher des cigarettes et de la bière ? »

Ça me dérange, mais je réponds : « Non, pas du tout. »

Je relance Marietta. « Qui essayez-vous d'appeler ?

— Mon ex.

— Sympa, l'ex, si vous pouvez vous permettre de l'appeler à l'aide à quatre heures du matin.

— Ouais, il est bien pour certains trucs. Mais sinon c'est un vrai con. Je ne l'aime pas ! Je suis contente qu'on divorce.

— Vous êtes encore mariés ? (Je me demande quel besoin j'ai de savoir tout ça.)

— Sur papier seulement. Nous sommes séparés. J'espère ne jamais le revoir.

— Mais en ce moment, vous voulez le voir, non ?

— Là, oui. J'aimerais connaître plus de gens que je pourrais appeler, et c'est bien ça le problème : il ne voulait jamais que je rencontre qui que ce soit. Quel connard ! »

Shelly est de retour, un pack de six bières pendouillant au bout du bras, ou plutôt un pack de quatre, maintenant, de la Bud Lite. J'ai un haut-le-cœur juste à imaginer ce goût insipide. Si loin du corps d'une Urquell ou d'une bière de trappistes. Mais ce n'est que snobisme et, honteux un instant d'être si snob, je fais abstraction du pschit des cannettes qui s'ouvrent. Et je vais même jusqu'à apprécier le parfum frais et joyeux de cette mousse aux arômes de levure.

« Oui, un vrai con, confirme Shelly. Et c'est pas surprenant, son mari est un flic de merde !

— Alors, c'est un vrai mari ?

— Un vrai flic, précise Shelly. Un trou du cul.

— Ça ne passe toujours pas, dit Marietta.

— Quel est son code régional, je demande.

— Sept-quatre-zéro.

— Ici on est dans le six-un-quatre.

— Merde, je pensais que c'était un appel local. Pas la peine de se demander pourquoi ça passait pas. J'appelle à frais virés.

— Vous embêtez pas avec ça, appelez en direct.

— Je voudrais pas que vous vous retrouviez avec une grosse facture. Vous faites déjà tellement pour nous… »

Très vite, je l'entends dire : « C'est moi. Moi. »

À l'autre bout du fil, une voix crie dans le combiné. « Qui ?

— Moi. Fais pas semblant de pas reconnaître ma voix.

— À quatre heures du matin, je reconnais personne. Où est-ce que t'es ? » On entend très bien la voix du type, même si le récepteur est loin.

« Je sais pas.

— Comment ça, tu sais pas ? T'as bu ?

— Non, on est sorties de la route et on s'est pris un fossé dont on n'arrive pas à sortir. Tu pourrais pas venir nous tirer de là ?

— Calme-toi, Marietta. Où êtes-vous maintenant ?

— Je te l'ai dit, je sais pas ! »

Je crois que le moment est venu pour moi d'intervenir. « Donnez-moi le téléphone, je vais lui indiquer la route à suivre. »

Et c'est ce que je fais. Je lui décris chaque carrefour où tourner, environ trois ou quatre, et réponds à ses questions. « Oui, leur voiture est dans le fossé. Non, elles ne boivent pas.

— J'arrive dans vingt minutes. Est-ce que je peux reparler à Marietta ?

— Aussi longtemps que vous voulez. »

Il hurle quelque chose.

« Je t'aime, moi aussi », répond-elle sur un ton mélodieux.

Je trouve ça bizarre. Elle vient juste de me dire que c'est un vrai con, qu'elle le hait, et voilà que, au téléphone, il lui annonce qu'il l'aime et elle répond qu'elle l'aime aussi. Est-ce que c'est leur façon de se dire À plus tard ? Bonne nuit ? Un simple salut ? Une habitude ? Ou la vérité ? Je ne lui demande pas de s'expliquer. N'empêche, tout ça sonne faux. Peut-être qu'elle l'aime, mais adore dire du mal de lui derrière son dos. Tout ce discours de divorce et de haine, c'est peut-être juste pour décompresser, laisser sortir la vapeur.

Shelly ouvre une autre bière.

« Non, dis-je. Sans vouloir vous commander, il me semble que vous avez assez bu. Prenez du café à la place, surtout si vous faites venir un flic.

— Vous avez raison », concède Shelly. Elle prend la bière et la vide dans mon évier.

« J'aime votre café, me félicite Marietta.

— Alors, reprenez-en. » Voilà qu'elle fait un meilleur usage du verbe aimer.

Je lui verse une autre tasse, avec un peu de lait, et elle le sirote, tout en projetant sa chevelure derrière son épaule. Rien ne pourrait empêcher cette fille de s'amuser, pas même un accident de voiture. C'en est impressionnant. Elle se lève pour aller aux toilettes, et je découvre son corps gracieux ; elle se déplace tout en légèreté, en glissements. Étrange créature que n'atteignent ni la pauvreté, ni les coups du sort, ni les mauvais mariages, ni les accidents de la route. Elle est absolument superbe. Une fois qu'elle a disparu vers la salle de bains, je me retrouve face à Shelly, qui rote, elle qui n'a rien de superbe, et qui dit « Pardon ».

« Qu'est-ce que vous faites, demande Shelly en rotant de nouveau.

— J'enseigne à l'université. L'histoire européenne. Je suis un spécialiste de la criminalité durant la Renaissance.

— Désolée.

— Pourquoi, *désolée*? De temps en temps, je suis désolé d'enseigner l'histoire européenne…

— Désolée de vous déranger.

— Vous ne me dérangez pas. Vous avez besoin d'aide et je suis heureux de pouvoir vous l'apporter.

— En voyant le grand séchoir à tabac, on a pensé qu'un fermier vivait ici, c'est pour ça qu'on a osé demander un coup de main. Si on avait su…

— Allons!

— Si on avait su… Vous, un monsieur, Européen, voilà que vous devez vous coltiner deux péquenaudes.

— Non, s'il vous plaît. Je vous ai ouvert la porte en caleçons. Ça aurait dû vous mettre à l'aise.

— Ben non, un fermier n'ouvrirait jamais la porte en caleçons, alors on a tout de suite compris que vous étiez un monsieur. »

J'éclate de rire. Elle a le sens de l'humour. Quoique. Elle ne rigole pas, elle semble triste. Est-elle sérieuse? Sommes-nous en train de communiquer? Peut-être après tout est-elle superbe elle aussi, que son esprit recèle des trésors.

« Comment pouvez-vous vivre ici et enseigner à l'université? Il y a une université dans le coin?

— Non, je vais en voiture jusqu'à Colombus et j'y passe la semaine. Je ne suis ici que les week-ends. »

Je regrette aussitôt cette confidence. Imaginez qu'elle ait des amis cambrioleurs, ils sauraient quand venir chez moi et me voler. Alors j'ajoute : « J'ai un gardien qui vit dans la maison pendant la semaine. Il adore l'endroit.

— Ah bon, continue-t-elle, vous avez une autre maison?

— Oui. Rien de terrible. Même pas aussi chouette que cette cabane. Je me retire ici pour lire et écrire, et pour m'éloigner de mes étudiants, des bars, des restaurants et autres tentations infernales.

— Deux maisons ! » s'exclame-t-elle, l'œil brillant de convoitise. Je sais qu'elle me hait à cet instant. Merde, me dis-je. J'aurais mieux fait de la fermer. Peut-être ne devraient-elles rien me dire d'elles. Savoir est dangereux.

Mais, entraîné par le roulis de la conversation, je manque aussitôt à ma résolution. « Et vous, où travaillez-vous ? » Ne pouvant plus rien affirmer en toute sécurité, mieux vaut poser des questions.

« Oui, je travaille, répond-elle.

— Où ?

— Marietta et moi, on construit des niches pour chiens. On joue du marteau du matin au soir. Vous voulez palper mes muscles ?

— Non, merci.

— On s'amuse bien au boulot, poursuit Marietta, revenue entre-temps. Shelly est une rigolote. Vous voulez tâter mes muscles ? »

Elle soulève le bras et le contracte, faisant glisser sa chemise de flanelle, et je peux apercevoir les douces courbes que forme la naissance de seins bien galbés. Porte-t-elle un soutien-gorge ? Peut-être pas, je ne le vois pas, et les courbes s'étirent, laissant pénétrer la lumière dans les profondeurs ténébreuses de sa chemise. Ses seins paraissent plus gros maintenant qu'ils ne l'avaient d'abord laissé croire.

« Non. Merci. Je suis sûr que vous avez de bons muscles. »

En fait, j'aimerais beaucoup palper ce muscle offert, mais je me suis engagé à n'effleurer aucun muscle en refusant l'invitation de Shelly. Il ne serait pas cohérent d'accepter maintenant avec Marietta. Shelly en serait blessée. Enfin, peut-être pas. J'ai un penchant naturel pour la bienveillance, ou, plus exactement, pour avoir l'air bienveillant.

Marietta sourit, un éclat de lumière sur les lèvres, et elle regarde le poêle. « On voit bien les flammes dedans, c'est chouette », dit-elle.

Pendant une seconde, je me demande si ces deux-là ne sont pas des putes et si elles ne sont pas en train de me jouer un drôle de tour. Mais non, envoyer sa voiture dans un fossé serait quand même un moyen assez extrême de gagner sa vie. D'un autre côté, je ne peux pas être sûr que leur voiture est dans le fossé. Je ne suis pas allé voir. Mais alors, pourquoi appelleraient-elles un policier ? Non, ça ne peut pas être des prostituées. Et puis Marietta a l'air trop insouciante, trop pure pour ça. Non, mais comment puis-je penser une chose pareille ? C'est dégoûtant, offensant. Heureusement qu'elles ne peuvent pas lire dans mes pensées. Quoique, à bien y penser, comment puis-je être sûr qu'elles ont appelé un policier et pas un cambrioleur ? Peut-être que ce ne sont pas des putes, mais des voleuses capables d'arnaques tordues et bien rodées. Elles ont peut-être un code. « Je t'aime aussi » pourrait vouloir dire « Il n'a pas d'arme. Amène-toi et tabasse-le. » Mais elle a l'air trop sympa pour ça, trop innocente même.

« Vous voudriez pas une niche pour votre chien ? demande Shelly. On vous ferait un rabais de quarante pour cent. »

Je m'adresse à Marietta : « Ou vit votre mari ? »

Elle retourne s'asseoir dans le fauteuil. « Au sommet de la colline, avant de tourner sur la 248, il y a une caravane blanche avec plein de pots de fleurs dans les fenêtres. Vous êtes le bienvenu si vous passez par là.

— Pour le voir ?

— Ben non, il y a une autre caravane, une rose, c'est la mienne, tout au fond du jardin.

— Vous croyez que je pourrais tout simplement m'arrêter chez vous et vous parler à tous les deux ? Il n'y a pas de fleurs dans votre caravane ?

— Non, moi j'ai des chats. Ils sont tout le temps en train de prendre le soleil devant la fenêtre. Pourquoi ne passeriez-vous pas ?

— Eh bien, si vous ne vous parlez même pas…

— Oh si, on se parle. J'aimerais juste que ça soit pas pour toujours. Nous avons un enfant dont il faut s'occuper, alors ça nous oblige à vivre pas trop loin l'un de l'autre. Ça vaut toujours mieux que de larguer les mômes à des dizaines de kilomètres, comme le font certaines de mes connaissances. Il me faudra une meilleure voiture avant d'obtenir le divorce.

— Qui s'occupe de l'enfant en ce moment ?

— Sa tante. Pas celle que nous cherchions. Une autre, qui vit à même pas deux cents mètres de chez nous.

— Bénies soient les tantes », dis-je.

Le téléphone sonne. Le flic veut que je lui redonne les indications. « J'ai trouvé des chaînes, précise-t-il. Je serai là dans vingt minutes. Est-ce qu'elle va bien, monsieur ? Elle n'est pas en train de s'endormir ? »

Bien loin de s'endormir, Marietta ressent à fond les effets de la caféine, et comme elle n'a cessé de me répéter à quel point mon café est délicieux, je lui ai fait un cappuccino.

« Vaudrait mieux vous méfier, me prévient-elle. Je pourrais devenir accro à ce machin, et vous êtes la seule personne que je connaisse qui en fait. »

Des lumières apparaissent dans le jardin, il me semble que ça ne fait pas une minute qu'il a appelé. Pourquoi m'a-t-il parlé de vingt ? Je sors accueillir un grand type efflanqué aux cheveux coupés ras et portant moustache qui saute d'une camionnette rouge.

« Où sont-elles, me demande-t-il, tout essoufflé.

— À l'intérieur.

— Elles vont bien ? Elles sont blessées ?

— Oui, elles vont bien, juste un peu écervelées. »

Il entre, une grosse lampe de poche à la main. « Vous allez bien ? gueule-t-il.

— Oui, on va bien, répond Marietta.

— Vous vous êtes pas cognées sur le tableau de bord, ou un truc comme ça ?

— Non, on s'est juste cogné la tête l'une contre l'autre. Ça fait pas mal. »

Il se dirige vers Marietta. « Regarde-moi. »

Elle obtempère, il lui braque le faisceau de la lampe directement dans l'œil et l'examine.

« Tu vas me rendre aveugle, arrête ça !

— Faut que je regarde encore, dit-il.

— Occupe-toi d'abord de Shelly. Je prends une pause.

— Non, il faut aller jusqu'au bout. C'est sérieux.

— Qu'est-ce que je vous disais », me lance Shelly. Je comprends ce qu'elle veut dire : cet abruti est un emmerdeur de première !

Comme s'il avait compris ça lui aussi, il bondit et déverse un flot de lumière dans les yeux de Shelly. Il serre la lampe dans son poing et la tient au-dessus de son oreille, comme un pro, de manière à pouvoir s'en servir comme d'une matraque, si cela s'avère nécessaire.

« Je pense que t'es consciente, conclut-il.

— C'est pas très difficile à deviner, dit-elle.

— Tu as bu. Combien ?

— Oh, rien, juste deux ou trois bières.

— C'est trop, Marietta. T'aurais dû laisser Shelly conduire.

— Mais j'ai même pas mon permis, proteste celle-ci.

— Aucune importance. Si t'as bu, tu conduis pas. Laisse le volant à Shelly.

— Mais j'ai bu plus qu'elle, dit-elle. Je pense que Marietta n'en a pris qu'une.

— Ah oui ? » Pendant une seconde, le flic perd son ton inquisiteur. « Peu importe. Marietta, t'aurais jamais dû conduire. Tu conduis comme un pied.

— Je suis pas si mauvaise.

— Alors dis-moi ce qui s'est passé.

— On rigolait tellement qu'on en avait les larmes aux yeux, explique Marietta. Des blagues, on en connaît quelques bonnes. Tu veux que je t'en raconte ?

— Non, continue avec ton histoire.

— J'y voyais mal à cause des larmes. Et ce gros imbécile de chevreuil a déboulé de nulle part, et j'ai donné un grand coup de volant.

— C'était stupide. Tu ne sais donc pas qu'il faut freiner et continuer tout droit ?

— Si j'avais fait ça, je lui serais rentré dedans !

— Probablement pas, si t'avais commencé à freiner assez tôt.

— J'ai pas commencé assez tôt et, de toute manière, il a surgi de l'obscurité la plus totale.

— T'aurais pas dû te diriger dans le fossé.

— Si c'était arrivé sur l'autoroute, j'aurais pu changer de voie. Et qu'est-ce qu'il y a de si terrible avec le fossé ?

— T'as bousillé la bagnole.

— Elle s'en est bien sortie, interviens-je. Prendre le cerf de plein fouet aurait causé bien plus de dégâts.

— Ne la défendez pas, monsieur. Il faut qu'elle

apprenne une fois pour toutes. Tu vois un chevreuil, tu freines et tu continues tout droit. »

Je suis frappé par l'ineptie du conseil. Il est manifeste qu'elle a bien réagi, mieux que moi ou que lui ne l'aurions fait, en tout cas. Il aurait sans doute fini à l'hôpital s'il avait appliqué sa théorie idiote. Où l'avait-il pêchée? On enseigne des trucs aussi absurdes à l'école des flics ?

« Si t'étais pas ma femme, je te ferais sauter ton permis. C'est pas exclu que je le fasse, d'ailleurs, ajoute-t-il. Est-ce qu'elles ont bu ici, monsieur ?

— Pas du tout. Je leur ai donné du café. Vous en voulez ? »

Il se dirige vers l'évier et prend les deux cannettes de bière. « C'est vous qui buvez ça, monsieur ?

— Non.

— C'est bien ce que je pensais.

— Elles ont amené les cannettes vides. »

Je ne sais pas pourquoi j'ai menti. Il a grimacé avec un mouvement de recul, comme s'il avait compris que je mentais.

« Vous voulez un expresso ? (Trop chic pour un flic ?)

— Non merci, je vais sortir la voiture de là. Je reviens. Ne les laissez pas boire. »

Et il sort.

« Je vois ce que vous voulez dire, dis-je à Marietta. Mais il vous prête assistance.

— Je sais, mais c'est pas comme ça que je le perçois. »

Je dois bien me rallier à son opinion, et nous restons assis en silence, comme trois coupables.

Le flic revient assez vite, remorquant la voiture rouge. Il éclaire de sa lampe les parties endommagées. Nous sortons tous.

« Il y en a au moins pour deux cent cinquante dollars de dégâts juste ici, dit-il. Peut-être même trois cents. »

Je suis impressionné par la justesse de son estimation.

« Où vas-tu la faire réparer ? lui demande-t-il.

— Les assurances ? propose gaiement Marietta.

— Non. Pas avec conduite en état d'ébriété. Et en plus, ta prime grimperait. Faut que tu trouves de l'argent.

— Comment ça ?

— Démerde-toi, c'est ton problème. »

Je me mets à penser que c'est peut-être le moment où le maque entre en lice, maintenant qu'elle doit exercer son second boulot, celui de nuit, et qu'ils me proposent ses services. Cette pensée me fait glousser.

Le flic me lance un drôle de regard. C'est pas vraiment le moment de glousser !

« Où est la pièce qui manque ? demande-t-il. Elle a dû tomber quelque part.

— Ah, dit Shelly, le machin noir ? Je l'ai vu tomber. Je vais le trouver. »

Ils explorent le fossé, éclairant ça et là, et, ne trouvant rien, reviennent et prennent place dans la voiture.

Marietta s'assied, les mains jointes coincées entre ses genoux, comme si elle était frigorifiée.

« Shelly, tu conduis ma camionnette, ordonne-t-il.

— T'es sûr ? » dit-elle. Mais elle monte sans faire d'histoires.

Le flic s'assoit avec Marietta, et me lance avant de fermer la porte : « Merci pour votre aide, monsieur.

— Oh, il n'y a pas de quoi. »

Marietta lève une main vers moi et l'agite brièvement, tout en regardant au loin, vers la grange. Voilà un salut bien indifférent après notre conversation. Elle m'a semblé bien plus amicale tout à l'heure et là, elle me balaie d'un geste de la main comme si j'étais une mouche. Je ne suis plus qu'un type entre deux âges possédant un séchoir à tabac dans lequel il n'y a pas de tabac, mais seulement du bois de chauffage et des vélos de montagne.

Il est cinq heures du matin. Faut-il me recoucher ? Non, après tout ce café, ça ne marchera pas. J'en refais et me mets à penser : C'était sympa, à part le flic, bien sûr. Et même lui, je suis sûr qu'un brave type sommeille sous l'emmerdeur. Reverrai-je un jour Marietta ? Elles m'ont dit où elles travaillent. Devrais-je leur rendre visite ? Non, ce serait stupide. Et si je m'arrêtais à leur caravane ? Non, même s'ils sont séparés, ça ne serait pas très convenable de venir la voir, elle, et lui rendre visite à lui n'aurait aucun sens. Peut-être la croiserai-je un jour au supermarché et, si elle a obtenu son divorce… Oh et puis merde, conclus-je, interrompant mes pensées et me donnant ce conseil tout à fait sensé : Fais pas le con !

Je suis content de les avoir aidées en dépit de ma règle de ne jamais ouvrir ma porte à des étrangers en pleine nuit, moi qui vis paumé dans la forêt.

Le lendemain matin, je vois la même voiture de police et le même flic aller et venir sur la route, scrutant le fossé.

Je m'arrête près de lui, baisse ma vitre, et demande : « Vous cherchez quelque chose ?

— Oui, le bout de carrosserie.

— Bonne chance, lui dis-je.

— Merci », répond-il poliment avant de reprendre ses recherches.

J'aurais trouvé plus plaisant que ce soit Marietta qui vienne, ou au moins qu'elle soit avec lui. Tout ce à quoi j'ai droit, c'est à un flic qui fouine partout.

Enfin, je me console en me disant que ça pourrait être pire.

Oh oui, ça pourrait être pire !

De temps en temps, je me souviens de Marietta, et je pense combien il serait formidable d'aller faire du kayak avec elle, ou de se balader en forêt, ou simplement de boire du vin en discutant. Je suis sûr qu'elle est bien plus intelligente qu'elle ne le laisse paraître ; ce serait tellement chouette de l'écouter raconter ses blagues. Mais chaque fois que je me laisse aller à rêver d'elle, je me dis que ça mène nulle part, et ça s'arrête là.

Un mois plus tard, toutefois, le flic s'arrête en passant juste au moment où je réponds à mes courriels – quoique je ne sois pas sûr que « s'arrêter en passant » soit l'expression appropriée.

J'ai cru entendre une voiture, peut-être celle du facteur, mais il y a longtemps que je n'attends plus rien de bon par la poste, alors je continue de m'occuper de mon compte Hotmail quand, soudain, la porte s'ouvre à la volée et le flic, pistolet à la main, entre en hurlant : « On ne bouge plus ! »

Cette médiocre imitation de flic en action est si ridicule que je n'ai même pas peur.

« Où est-elle ? crie-t-il.

— Qui ?

— Ne faites pas l'imbécile. Ma femme !

— Comment le saurais-je ?

— Vous le savez très bien. Ne vous fichez pas de moi.

— Je ne l'ai jamais revue après cette fameuse nuit.

— Monsieur, vous avez téléphoné à ma femme. Pourquoi ?

— Je ne l'ai pas appelée.

— Ne mentez pas. Avez-vous une liaison avec ma femme ?

— Non, jamais de la vie ! Je suis content de vous avoir tous aidés, mais qu'est-ce que j'ai fait pour mériter ça ? »

Ses mains tremblent. Ça me rend nerveux. Ça finit même par me terrifier. Ce type pourrait presser la détente. Je regarde le barillet, puis ses yeux. J'y vois de la rage, des larmes : un homme rendu fou par la jalousie.

« Hé, s'il vous plaît, calmez-vous, dis-je. Il n'y a rien entre votre femme et moi. Je ne l'ai jamais revue.

— Mais vous pourriez très bien l'avoir vue avant, non ? Je veux dire, que faisait-elle sur cette route à quatre heures du matin ? Je n'ai jamais cru à son histoire de visite chez sa tante. Elle n'a pas de tante dans les environs.

— Je n'y ai pas cru non plus. Mais qui sait où elles allaient, ou d'où elles venaient.

— Elle venait chez vous.

— Voyons donc. Sa voiture est tombée dans le fossé devant chez moi, elle allait dans cette direction.

— C'est vrai, dit-il, mais peut-être était-elle simplement…

— Arrêtez avec les peut-être. C'est la seule fois que je l'ai vue.

— Vraiment ?

— Vraiment. Pourquoi mentirais-je ?

— À cause du revolver.

— Vous n'avez pas tort, je dois l'admettre.

— Admettre quoi ? Que vous avez vu ma femme ?

— Non, que votre revolver suffirait à effrayer n'importe qui et à lui faire dire n'importe quoi. Je vous en prie, rangez-le si vous voulez que nous parlions calmement. Voulez-vous un café ?

— Oh, j'ai entendu parler de votre café. Je déteste ces cafés de citadins. Non, merci.

— J'ai du Folger quelque part, si vous préférez.

— Non. » Il enfonce son arme dans sa ceinture de cuir.

« Asseyez-vous.

— OK », dit-il, en colère.

Moi, je suis déjà assis. « Vous êtes sûr de ne pas vouloir un thé ?

— Non, merci. »

Il reste debout, ce qui lui confère un avantage déloyal, mais j'aurais de la difficulté à me lever maintenant, avec ses grosses chaussures en caoutchouc noir si près de mes pieds. Si je quittais ma chaise à bascule, je lui rentrerais dedans, et ça créerait un malaise. Il n'y a rien que je désire moins que d'imiter la position de deux matous se faisant face, l'un debout dominant l'autre, tout recroquevillé, mais c'est néanmoins notre géographie du moment. Il faudrait que je me lève, ou que ce type se détende, mais comment voulez-vous qu'il y parvienne, si plein de sa jalousie à l'égard de Marietta.

« Vous avez appelé ma femme, avouez-le.

— Non.

— Monsieur, j'en ai la preuve. On a passé un appel à frais virés de votre téléphone vers le mien, et quand je travaille le soir, c'est elle qui a mon téléphone.

— Je n'appelle jamais à frais virés. J'ai un excellent forfait pour mes appels sortants avec AT&T. Et pourquoi ferais-je ça ? Je ne suis pas si pauvre.

— Vous êtes sûr ? » Il regarde autour de lui et son regard s'arrête sur l'ordinateur. « Je pense que vous avez raison, mais ça n'explique pas tout. Il y a aussi un appel de mon numéro vers le vôtre, lui aussi le soir, et comme je vous l'ai dit, je fais les quarts de nuit.

— Je ne me souviens pas qu'elle m'ait appelée un soir.

— Ah ! Ah ! Mais vous vous souvenez l'avoir appelée ! » Il est debout sur la pointe des pieds, encore plus grand.

« Non, je me suis mal exprimé. Elle n'a jamais appelé ici, que ce soit de nuit ou de jour.

— Comment pouvez-vous dire ça, monsieur ? J'ai la preuve, la facture de téléphone.

— Quelle est la date de l'appel ? » (Pendant une seconde l'idée me traverse l'esprit que mon gardien a pu l'appeler. Qui sait, peut-être la connaît-il ?)

Il m'apprend que l'appel date du 28 novembre 2000.

« C'est plutôt loin. Attendez, c'était la nuit de l'accident ! Bien sûr, elle vous a appelé d'ici, vous ne vous souvenez pas ? Elle a appelé à frais virés. Et ensuite, comme vous n'étiez pas sûr de la route à prendre, vous avez rappelé. »

Je vois la tension se relâcher dans ses épaules. « Mais oui, mais oui. Ça doit être ça. Comment n'y ai-je pas pensé ?

— Je ne sais pas, dis-je. Vous voulez vous asseoir ? »

Maintenant il se recroqueville, abandonne sa posture, s'assoit.

« Un Folger ?

— D'accord, monsieur. »

Il semble totalement défait.

« Pourquoi êtes-vous si déprimé ? Votre femme n'a pas d'aventure avec moi. Vous devriez vous sentir soulagé, non ?

— Je ne sais vraiment pas. Elle a une aventure. J'en suis sûr. Elle disparaît la nuit. Vous étiez ma meilleure piste. »

Il est vraiment navré que cette piste n'ait débouché sur rien. Sans vouloir le réconforter, je cherche tout de même à le calmer.

« Peut-être se lance-t-elle dans des beuveries avec sa copine Shelly ?

— Comment le savez-vous ? »

C'est elle qui en a parlé. Je regrette aussitôt d'en avoir trop dit. Mieux vaut ne rien savoir de lui ou de sa femme.

« Je n'ai aucune idée de ce que fait votre femme. Désolé de ne pas pouvoir vous aider. Ou, plutôt, très heureux de n'avoir pas pu vous aider.

— Il va vraiment falloir que je fasse la lumière sur tout ça, dit-il, plus pour lui-même que pour moi.

— Enfin quoi, je vous aide, vous et votre famille, et c'est comme ça que je suis récompensé ? La prochaine fois que des étrangers en difficulté frappent à ma porte à quatre heures du matin, peut-être ne devrais-je pas répondre ?

— Tout à fait, monsieur, c'est ce que je voulais vous dire. Si des gens frappent à votre porte, même s'ils n'ont pas l'air armés et dangereux, comme deux femmes par exemple, n'ouvrez pas. Demandez-leur de regagner leur véhicule et appelez le 911. Ça vaut mieux pour vous, c'est plus sûr. On ne sait jamais sur qui on tombe. »

Je suis d'accord sur toute la ligne, enfin, surtout avec le dernier point.

Il se lève d'un coup. « Merci pour cette mise en garde, mais le café n'est pas encore prêt.

— C'est l'intention qui compte. J'apprécie », dit-il. Puis il me regarde froidement dans les yeux. « Nous allons nous revoir. »

Alors qu'il se dirige vers la porte, son regard accroche mon slip jeté négligemment. Ma petite culotte italienne mauve gît sur le sol, près de la porte de la salle de bains. J'ai toujours été un peu souillon, je dois bien l'admettre, et bien que je déteste ce type de sous-vêtements, j'ai épuisé ma réserve de Fruit of the Loom et, plutôt que de faire la lessive (tout plutôt que la lessive), je me suis rabattu sur mon dernier slip propre, celui que j'ai rapporté de mon dernier séjour à l'étranger.

« Ce truc, c'est à elle. Monsieur, comment expliquez-vous ça ?

— Non, c'est à moi.

— Je sais qu'elle porte des machins de ce genre. Ce n'est pas pour les hommes. Ne me prenez pas pour un imbécile.

— C'est un sous-vêtement pour homme. C'est italien. C'est ce que nous portons.

— Monsieur, j'en ai assez de vous. Je vous tirerais dessus sans état d'âme, alors, arrêtez de me mentir.

— Vous ne me croyez pas ? »

Heureusement, je me souviens que je porte un slip italien sous mon jean. Je laisse tomber mon pantalon et le lui montre, tout bleu, plus petit qu'un Speedo de nageur. Mes poils pubiens sont visibles, mais je m'en fiche. Je suis peut-être en train de sauver ma peau.

« Quelle horreur ! crache-t-il. Vous êtes quoi ? Une sorte de dépravé ou un truc comme ça ?

— Oui, monsieur, un masochiste patenté, avec un doctorat. »

Il écarquille les yeux tout en reculant vers la porte.

« Au revoir », lui dis-je.

Il se précipite dehors, hilare, saute dans sa voiture, et klaxonne.

Mon chien, qui habituellement course les voitures, reste cette fois immobile, regard fixe, gueule ouverte. Peut-être a-t-il reniflé l'odeur du revolver et, se souvenant de la saison de la chasse, comprend-il ce que cela veut dire ? Pourquoi ne m'a-t-il pas averti de l'arrivée du flic ? Sans doute pour la même raison : il a senti le métal. Normalement, il aboie. Ce qui me fait penser qu'il n'a pas aboyé non plus quand les femmes sont venues. Portaient-elles des armes? En fait, il aime les femmes et se sentait juste heureux d'en avoir à renifler. Telle est sa solitude; pas une femelle à près de deux kilomètres à la ronde.

Plus tard, je raconte l'histoire à John, mon ancien gardien, et il s'exclame : « Mon gars, les policiers sont des ânes. Tu sais que, au Massachusetts, ils n'ont pas le droit d'être plus intelligents que la moyenne?

— Je sais, lui réponds-je. Et peut-être est-il stupide à sa manière.

— À sa manière? s'esclaffe John. Il est con comme un balai, tu veux dire! »

Je ne dis rien. « C'est l'intention qui compte », a-t-il dit pour le café, et peut-être ne parlait-il pas du café, mais de moi. Il a lu dans mon esprit mes intentions concernant Marietta. Il avait tort dans le détail, mais raison sur l'essentiel. C'est peut-être une marque d'intelligence. Peut-être est-ce la marque universelle de l'intelligence des jaloux, de voir des choses pareilles. Non, il n'était vraiment pas loin. J'ai commis l'adultère selon Jimmy Carter, dans mon cœur, et pas selon Bill Clinton, mais dans l'absolu et au regard de la bible, quelle différence cela fait-il?

Heureusement, je n'avais rien fait. Mais si l'occasion s'était présentée, je n'en serais pas resté là. Peut-être y avait-elle pensé elle aussi, et qu'il l'avait compris? Enfin, il est plutôt flatteur qu'un jeune fauve ait craint un vieux fauve comme moi. Mais oublions ce genre de coquetterie. Je n'ai pas aimé plonger mon regard dans l'obscurité d'un canon de revolver tenu par la main tremblante d'un flic jaloux. Non, c'était une situation critique. Je suis tout de même surpris de n'avoir pas été plus terrifié que ça, parce que le simple souvenir de cet épisode me donne encore la chair de poule.

Et à quoi s'attend-il ? Bien sûr, s'il lui tourne toujours comme ça autour, avec ses flingues, elle doit avoir envie de prendre la tangente, d'aller goûter à la liberté, et peut-être a-t-elle vraiment une aventure, ou l'intention d'en avoir une, alors qu'elle roule dans sa voiture et qu'elle déconne avec sa copine. Je ne sais pas, et je préfère ne pas savoir.

Voisins

Marko Sakic prit la voiture pour se rendre à son épicerie de la rue des Brigades prolétaires de Nizograd. Normalement, il franchissait à pied les quelques coins de rue qui le séparaient de son commerce, mais, là, il préférait éviter d'être vu. La Croatie venait de déclarer son indépendance, et il ne savait pas encore ce que cela signifiait pour lui, qui était Serbe. Ce besoin de se faire discret connut toutefois des ratés dès qu'il prit place dans sa Golf Volkswagen. Il heurta presque son voisin, un professeur de maths à la retraite, qui avait surgi en clopinant d'un angle mort et qui, de toute évidence, pensait bénéficier des privilèges accordés aux piétons en vertu des principes régissant la loi et l'ordre public, en présumant qu'il existât encore quelque chose comme la loi et l'ordre public. Quand Marko aperçut soudain le torse vêtu de gris, il freina et s'arrêta à une cinquantaine de centimètres du géomètre voûté, qui concentra son indignation dans le bâton de marche noueux qu'il agitait en l'air. Le professeur avait pourtant toujours été amical.

Marko avait voté en secret, comme la plupart des Serbes de Slavonie (au nord-ouest de la Croatie), pour la sécession de la Krajina (ancienne frontière militaire séparant l'Empire ottoman de celui des Habsbourg). Milošević, à Belgrade, et les leaders serbes de Croatie clamaient qui, si la Croatie devenait indépendante, alors la Krajina devrait être rattachée à la Serbie afin de protéger les Serbes qui y vivent de l'armée croate – même s'il n'existait pas encore vraiment d'armée croate. Si la Krajina devenait Serbe, Marko se disait qu'il y serait tout à fait chez lui. Il était chez lui de toute manière. Bien plus qu'il ne le serait en Serbie, où il n'était allé qu'à quelques occasions, et où il s'était fait insulter dans une boulangerie pour avoir utilisé le mot croate pour pain, *kruh,* plutôt que le serbe *hleb.* S'il voulait vivre là-bas, il devrait modifier son parler. De plus, sa femme était croate, et il lui aurait été difficile de nier que ses deux enfants ne l'étaient pas, eux qui avaient été élevés en Croatie et parlaient le croate.

Dans les rues, il se méfiait, entre la nouvelle police croate et ce damier rouge et blanc, emblème national datant du Moyen Âge qui surgissait partout sur les murs, à côté du nom des rues rebaptisées (la rue des Brigades prolétariennes devenant la rue Toni Kukoc). La Croatie aux Croates ! Et les autres, alors ? Ces slogans apparaissaient sous des effigies de Tudjman qui, plutôt que de se donner des airs de père de la nation, adoptait ceux d'un professeur de droit revanchard.

Dès que Marko entrait dans sa boutique, il rayonnait. Il aimait flirter avec les femmes, pas seulement pour pousser à la vente, mais parce qu'il appréciait le coup de fouet que cela donnait à l'ego et à l'humeur. (Après un bon flirt, il se sentait beau et, si aucun client ne traînait alentour, il remontait d'un coup de peigne sa tignasse encore abondante et noire, tout juste striée de quelques fils gris au-dessus des oreilles ; ses yeux bleus contrastaient agréablement avec ses cheveux noirs et ses sourcils.)

Il adorait voir les clients entrer et passer en revue ses

étalages, essayant de deviner, à partir des mouvements de leurs yeux ou de la position de leurs mains s'ils étaient calmes, s'ils allaient acheter et ce qu'ils allaient acheter.

Croates, Tchèques et Hongrois avaient continué de faire leurs emplettes dans son magasin après le début des hostilités, mais pas les Serbes restés en ville. Ils voulaient éviter d'avoir l'air de se regrouper, et quand ils désiraient acheter quelque chose, ils allaient au grand magasin d'État mal éclairé du centre-ville.

Marko fut heureux quand l'armée serbe pénétra dans l'est de la Slavonie et le long de la côte dalmate. Et la détonation des chasseurs Mig franchissant le mur du son quand ils survolaient la ville le mit aux anges. Tandis qu'il regardait par la fenêtre, on l'aurait surpris à dire : « Vous, les Croates, vous allez maintenant comprendre à qui appartient ce pays ! »

Plus tard, il ne se souvint pas d'avoir dit cela, bien que ce fût possible puisqu'il avait bu plus que de raison. Un de ses vieux amis, Branko, ancien jouer de foot du Dinamo de Zagreb, débarqua dans son magasin et lança à la blague :

« Est-ce que je peux avoir une bière de patriote ? Une Pivo Nizograd ? »

Marko rigola. « Tu ne préférerais pas une eau-de-vie de prune ? C'est encore plus patriotique.

— Alors, dit Branko, toujours souriant, j'ai entendu dire que tu étais heureux de l'invasion serbe ?

— Certainement pas, mon ami, où as-tu pêché une idée pareille ?

— Des gens t'ont entendu te réjouir quand les jets yougoslaves ont survolé la ville. Et s'ils avaient largué leurs bombes, penses-tu qu'ils se seraient souciés de savoir si tu étais là ? Ils pensent que tous les vrais Serbes sont déjà partis. »

Marko se renfrogna. C'est vrai, les hommes des milices serbes étaient venus le voir pour le presser de se joindre à eux ou, au moins, de fuir la ville. Il avait entendu que, dans un village non loin, des soldats serbes avaient abattu des compatriotes qui refusaient de quitter les lieux et coupé deux doigts aux mains des villageois survivants afin que, à jamais, ils exhibent les trois doigts du signe serbe de la victoire. Il se pouvait que l'armée serbe bombarde et incendie les villages où il ne restait aucun des leurs. Mais il restait tellement de Serbes en ville que l'idée d'un bombardement lui semblait tirée par les cheveux.

« Alors, t'en as, de la Pivo Nizograd ? » demanda Branko, comme s'il répétait la question, et peut-être en fait la répétait-il. Marko empila sur le comptoir cinq bouteilles ambrées d'un demi-litre.

« Pourquoi tu ne viendrais pas en boire quelques-unes, proposa Branko, comme au bon vieux temps ? On pourrait jouer aux échecs et comparer nos nouveaux timbres.

— J'essaierai », répondit Marko. Bien qu'ils aient souvent bu de la bière ensemble et comparé leurs nouveaux timbres, Marko savait que, cette fois, il n'y aurait pas de visite. Peut-être lui tendrait-on un piège chez Branko, peut-être deux ou trois voyous l'assommeraient-ils ? Ils étaient amis, bien sûr, mais c'était un monde nouveau ; qu'est-ce qui importait le plus, l'amitié ou le patriotisme ? Comment pouviez-vous encore faire confiance à quelqu'un ?

Branko rigola de bon cœur, comme s'il lisait dans ses pensées. « Il y a beaucoup de nouveaux timbres maintenant, des Slovènes, des Croates et bientôt des Macédoniens, des Bosniaques. Une époque formidable pour nous, philatélistes, n'est-ce pas ? »

La nuit d'après, Marko se souvint des paroles de Branko au sujet de ces bombes incapables de reconnaître votre nationalité. Quand les sirènes se mirent à hurler, il se réfugia au sous-sol avec sa femme et leurs deux enfants, en partie parce que la loi martiale l'exigeait et en partie parce qu'il se sentait inquiet, effrayé.

« Papa, est-ce que des bombes nucléaires vont détruire la ville ? demanda Danko, son fils de cinq ans.

— Je ne pense pas.

— Alors pourquoi on va à la cave ?

— Pour jouer à la guerre. Pour faire comme si on nous bombardait.

— Chouette ! s'exclama Danko. Mais j'espère qu'ils en lanceront au moins une.

— Tais-toi, vaurien, ordonna Dara.

— Pourquoi est-ce qu'on doit tous jouer à ces stupides jeux de garçons ? demanda Mila, la fille de six ans.

— Bonne question, déclara Dara. C'est parce qu'il y a des garçons qui grandissent au point de ressembler à des hommes, mais qui, au fond, restent des gamins prêts à tout casser.

— Il y en a d'autres types ? interrogea Mila.

— D'autres types de quoi ? »

Les enfants en avaient marre et voulurent allumer pour jouer aux dames. En haut, le téléphone sonna.

« Qui peut bien appeler maintenant ? demanda Dara.

— Je vais voir, dit Marko.

— Ne fais pas ça, c'est peut-être dangereux. »

Pendant ce temps, la quatrième sonnerie retentit et le répondeur se déclencha.

« On sait que vous êtes là. C'est très bien, mais s'il vous plaît, éteignez la lumière. À moins que vous vouliez qu'on aille l'éteindre pour vous ? »

Marko tourna l'interrupteur.

« Fils de putes, saloperie de flics. Ils pensent que je laisse les lumières allumées pour signaler notre présence aux pilotes ! »

Juste à ce moment, une puissante explosion secoua les fondations et le sol de la maison, comme s'il venait d'y avoir un tremblement de terre majeur, comme si les différentes couches de la terre bataillaient, se querellaient, puis s'empilaient les unes sur les autres. Des fragments de briques pulvérisèrent les fenêtres du sous-sol. Une demi-brique fusa et vint faire éclater une bonbonne de dix litres de vin maison que Marko tirait d'un petit vignoble dans les collines. Le vin rouge les éclaboussa tous, mais personne ne fut blessé par les éclats de verre. L'odeur du vin n'arrivait pas à supplanter celle du feu, des explosifs et de la fumée. Avant qu'ils aient pu retrouver leurs sens, une nouvelle explosion souffla des vagues d'air chaud par les fenêtres cassées du sous-sol.

« Foutus bandits ! clama Marko. Foutus bandits serbes ! »

Dara claquait des dents.

« Je ne pardonnerai jamais ça à Milošević, continua-t-il. Je le prends très personnellement.

— Pourquoi ? Il n'y a rien de personnel là-dedans. Les bombes tombent...

— Ça le serait si j'étais personnellement mort ! Ou toi. »

Une heure plus tard, il y eut une autre vague de bombardements. Une demi-tonne de bombes fut larguée sur la fabrique de pièces de machines.

Au matin, Marko, épuisé et fébrile, passa en revue les dégâts occasionnés par le raid aérien. Un pan du toit de sa maison avait disparu, littéralement soufflé, et les fenêtres étaient fracassées. La moitié du crépi recouvrant ses murs était tombé et de nombreuses briques étaient endommagées.

La maison d'à côté, elle, n'existait plus ou, plutôt, avait cédé la place à un cratère bordé de briques rouges et grises et de tuyaux éclatés. De la fumée s'élevait des cendres et, dans cette fumée, Marko crut discerner des odeurs de plastique brûlé, de caoutchouc et de chair, oui, aucun doute, de chair, peut-être humaine, peut-être animale, probablement les deux. Son voisin, le professeur de maths à la retraite, vivait là avec dix chats. Trente-cinq ans auparavant, il avait enseigné à Marko les mathématiques en cinquième année, lui inspirant une terreur qui l'avait longtemps laissé plein de ressentiment. Mais il appréciait maintenant ce qu'il avait appris – dans son boulot, être fort en calcul mental constituait un atout. Et plus le vieil homme prenait de l'âge, plus Marko l'aimait, et de temps en temps, chacun devant sa maison, ils bavardaient, regardant le marché municipal de l'autre côté de la rue, ou en direction du parc d'où s'élevait au loin la vapeur des sources chaudes. Mais ses chats, ça, c'était une autre affaire ; à la saison des amours, en février, ils faisaient un vacarme infernal, et le désir les travaillait au point qu'ils venaient miauler aux portes et aux fenêtres des Sakic. Mila et Danko, même quand ils étaient tout petits, agrippaient les chats et les portaient, parfois par la queue, parfois par les pattes de derrière, mais rarement de la bonne manière. Une fois, un chat tigré avait griffé Mila au visage, lui éraflant même la paupière. Voyant que celle-ci s'était mise à gonfler, les parents la conduisirent en vitesse à l'hôpital perché sur la colline. Heureusement, l'œil n'avait pas été touché. Alors Marko n'allait certainement pas regretter ces chats, mais le voisin, oui.

On trouva des fragments d'os de l'ancien prof de maths

sous les pierres et les briques mélangés à des fragments d'os de chats, et on dut faire appel à un médecin légiste pour démêler l'homme du chat. La famille du disparu et Marko purent ainsi réunir les os et les placer dans un petit cercueil pour enfant. Le cimetière sur la colline étant tout près des positions serbes, il leur fallut beaucoup de courage pour enterrer la boîte. Les Serbes dans les collines auraient pu les confondre avec des soldats croates en train d'installer un canon. N'ayant que peu de temps, ils creusèrent une fosse peu profonde et y déposèrent la boîte qu'ils recouvrirent de terre et de cailloux. Le mathématicien pourrait reposer en paix en attendant d'être enterré plus profondément, et aussi qu'on ait trouvé une photo de lui à glisser dans un cadre ovale et doré – comme un poussin retournant dans son œuf – dont on décorerait la pierre tombale bien polie sous laquelle reposeraient les ossements d'homme et de félin. Mais, pour l'instant, personne n'avait de photo de lui, et ce n'était pas le moment de lustrer les pierres. Il y a un temps pour chaque chose, un temps pour aimer, un temps pour haïr, un temps pour travailler, et un temps pour se reposer, et maintenant était venu le temps de fracasser la pierre, pas de la polir. Et ce n'était plus le temps non plus de traîner et de flâner, mais celui de courir.

La nuit suivante, les sirènes retentirent de nouveau, mais il n'y eut pas de raid.

« Quittons la ville », suggéra Dara dans l'obscurité, et sa voix se confondit avec le chuintement fluorescent et la lueur de ver luisant de l'horloge électronique.

« Pas question. Je ne vais pas abandonner tout ce que j'ai ici. Qui va me donner un magasin ailleurs ? Et à qui vendrais-je celui-ci maintenant ? En ce moment, il ne vaut rien ! » Il ne pouvait voir que la lueur jaune acide de la pendule, et c'est à elle qu'il s'adressait, comme s'il s'agissait de la seule étincelle de raison à briller dans la noirceur de l'histoire.

« Mais allons nous mettre à l'abri, plaida Dara. C'est l'horreur, ici.

— Où, en Serbie ? Pas après être passé à un cheveu de la mort.

— Et la Hongrie ?

— Le hongrois n'est même pas une langue indo-européenne. Tu veux vivre dans un pays où tu ne comprends personne ?

— Ce serait merveilleux ! Après tout, qu'est-ce que toute cette touchante compréhension nous a rapporté ici ? Voilà des décennies que vous fanfaronnez avec la grande âme slave, buvant à en perdre connaissance pour prouver à quel point vous êtes potes, et ils sont où, tes potes, maintenant ? En train de s'éventrer l'un l'autre. Alors, oui, la Hongrie me semble parfaite.

— Tu ne peux pas voir ça de manière objective maintenant. Quoi que tu en dises, on s'est bien éclatés dans cette fichue fédération qui est la nôtre. Allume la radio, écoutons ce qui se dit dans le monde.

— Sûrement pas qu'on s'éclate bien ! »

Mais ils tombèrent tous les deux endormis avant que le bulletin d'information ne débute. Un hurlement de Danko les réveilla. L'enfant se glissa dans le lit avec eux puis, bien que sevré depuis bien longtemps, chercha à tâtons le sein de sa mère, se trompa, tenta de téter les mamelons de Marko, et, ne trouvant de réconfort ni sur l'un ni sur l'autre, partit à la recherche des seins de Dara. « À quoi as-tu rêvé, mon cœur ? » demanda-t-elle, mais il ne répondit pas.

Au matin, ils apprirent à la télé qu'une trêve avait été obtenue par les Nation Unies et Cyrus Vance, et les lords britanniques qui l'annoncèrent déclarèrent de leurs jolies voix de baryton zézayant combien il était inconvenant, tribal, primitif et barbare pour des petites nations de faire la guerre, alors que, parallèlement, ces mêmes lords britanniques cautionnaient leurs propres raids aériens sur des régions éloignées, en Irak par exemple, et que leur volonté de conserver l'unité de leur propre pays se heurtait également à quelques petites discordes et autres bombardements.

Dans les jours qui suivirent la trêve, les gens marchèrent dans les rues sans craindre le feu des obus tirés des collines. Marko en profita, malgré le froid de novembre, pour replacer les tuiles sur le toit, il trouva des vitres pour ses fenêtres, et eut même le temps de reboucher les trous dans le crépi.

Le voyant travailler ainsi, les passants le taquinaient. « Dites donc, vous êtes optimiste, vous !

— Qu'avez-vous dit ? Optométriste ? Vous voulez dire une sorte de visionnaire ? C'est tout à fait ça, oui. »

Un matin poussiéreux, Marko partit en voiture pour la Hongrie, ou les denrées alimentaires coûtaient bien moins cher. Il ne put filer plein nord pour s'y rendre et dut faire un détour vers l'est, par Bjelovar. Il enviait les Hongrois. Partout, des publicités criardes et tapageuses vantaient les entreprises américaines et allemandes ; les routes avaient été récemment asphaltées ; les femmes portaient courageusement des mini-jupes extrêmement mini en dépit du froid et du regard fiévreux des hommes. Ça pourrait être nous, pensa-t-il, si seulement nous savions comment nous y prendre.

Il se rendit à Pécs et, après avoir acheté des saucisses, du fromage, des conserves de goulasch et de piments forts et bien d'autres produits prisés par sa clientèle, il emprunta une rue chic et entra dans un bar, le Playboy Club. Aussitôt, cinq femmes en bikini l'entourèrent, lui tendant des coupes de champagne. Il battit en retraite, les soupçonnant d'en vouloir à son portefeuille, de chercher à le détrousser, ni plus ni moins. Et où se trouvaient donc les hommes ? Ah oui, c'est vrai, pourquoi fréquenteraient-ils les clubs alors que leurs femmes avaient déclenché la révolution sexuelle ?

Il regagna la Croatie à la nuit tombée et, bien qu'il connût le chemin, il craignit à un moment d'être entré en territoire serbe. Il n'avait rien à craindre, pensa-t-il, il pourrait leur dire qu'il était Serbe, mais n'avait aucun document pour le prouver. Sa carte d'identité mentionnait qu'il vivait en Croatie. Arrivé devant la barrière d'un passage à niveau, il se demanda s'il devait attendre. Peut-être était-ce une embuscade. Puis le train passa, tout illuminé, sans qu'il pût voir un seul passager. Où étaient-ils ? Couchés sur le sol pour échapper aux tirs des snipers tapis dans les bois ? Où se trouvaient les machinistes ? Peut-être était-ce un train fantôme fonçant à travers les Balkans comme une bombe intelligente. Une fois le train passé, la sonnerie changea et la barrière se releva. Quelqu'un observait-il le passage à niveau et l'espionnait-il ?

Il continua de rouler vers l'ouest sur de petites routes non balisées, et faillit plusieurs fois quitter la chaussée. Ce n'est qu'en accédant aux grands axes desservant Zagreb, qui projetait dans le ciel brumeux un halo rose malgré la guerre, comme si elle faisait la promotion de son Éros, qu'il retrouva ses repères et put s'orienter suffisamment pour prendre la direction de l'est.

En arrivant à la maison, il claqua la portière de la voiture, alluma sa lampe de poche, se dirigea vers l'entrée, et vit qu'on avait écrit sur l'asphalte devant la maison des graffiti rouges : Serbes, rentrez chez vous. Près du graffiti, l'explosion d'une grenade avait laissé sa marque, comme une grande fleur, avec un trou en forme de bulbe d'où jaillissaient des cicatrices pareilles à des pétales. Il se rua à l'intérieur, se demandant si sa famille allait bien. Ils jouaient aux dominos à la lueur d'une chandelle.

Le graffiti le déprima et l'effraya bien plus que le cratère laissé par la grenade. Le lendemain, il n'alla pas travailler, préférant rester au lit, boire du thé et aller se raser à la salle de bains (comme pour se nettoyer de tous les problèmes qui l'accablaient). Il le fit trois fois, alors qu'une seule eût suffi, même si sa barbe était forte, et il se brossa les dents à une dizaine de reprises. Il urinait plusieurs fois après chaque tasse de thé, comme si le bloc de glace que cristallisait en lui l'anxiété pouvait fondre, se dissoudre, être évacué et drainé par les conduits souterrains charriant au loin saletés et déchets. Il n'y eut pas de bombardement ce jour-là, et il reçut de nombreux appels de ses clients, Croates pour la plupart, qui lui demandaient s'il allait continuer d'ouvrir son magasin. La plupart des boutiques étant fermées, il devenait difficile d'acheter des victuailles, et ils le prièrent de rester. Mais il avait des doutes. Lui demandaient-ils vraiment de rester ou se livraient-ils à un jeu pervers pour l'attirer dans un piège ? Ou peut-être attendaient-ils qu'il craque et prenne la fuite, de sorte qu'il y aurait un Serbe de moins en ville, cette ville que, il en était sûr, tous espéraient voir un jour peuplée de purs Croates.

Les gens avaient encore besoin de manger et, quand ils auraient faim, ils ne feraient plus grand cas de sa « serbitude ». Le lendemain matin, il partit donc travailler et ouvrit son magasin. Il vendit plus que jamais. Certains faisaient la tête et achetaient leurs provisions sans décrocher les mâchoires, d'autres lui manifestaient leur reconnaissance de le trouver ouvert. Et il y en avait même pour lui raconter des blagues. Son vieil ami Branko – leur amitié remontait à si loin que Marko se souvint que, en cinquième année, ils avaient mesuré leurs pénis pour savoir s'ils étaient normaux et s'étaient échangé quelques trucs sur la masturbation – lui avait raconté celle-là : « Un Serbe, un Croate et un Bosniaque sont les seuls survivants d'un naufrage. Ils dérivent agrippés à une planche de bois, complètement frigorifiés. Un petit poisson d'or s'approche d'eux et le Bosniaque l'attrape, mais il lui glisse des mains et le Croate et le Serbe le saisissent en même temps, l'un par la queue, l'autre par le cou – faisons comme si les poissons avaient un cou. Le poisson d'or dit : "Bonnes gens, je vous en prie, laissez-moi partir. Normalement, je fais mon numéro des trois souhaits, mais comme vous êtes trois, ce sera un chacun." Le Serbe dit : "Oh, s'il te plaît, envoie-moi dans une taverne où je danserai sur un kolo chanté par une *pevaljka* à la voix râpeuse accompagnée par un accordéon." "D'accord", dit le poisson, et le Serbe disparaît dans le vent et atterrit dans une taverne où chante une tigresse. "Et moi, supplie le Croate, fais que je me retrouve sur une plage de l'Adriatique, avec un grand verre de *bevanda,* et fais que le vent souffle du sud." "Je ne peux rien te promettre pour le vent parce que c'est ton second souhait, mais va pour le reste", répond le poisson. Et le Croate se volatilise dans le vent pour réapparaître sur une plage déserte de Croatie, où il éprouve une pointe de déception en ne voyant aucune baigneuse allemande à poil. "Je me sens si seul, pleurniche le Bosniaque. Pourrais-tu ramener les deux autres, s'il te plaît ?" "Aussitôt dit, aussitôt fait", conclut le poisson. »

Et la journée passa ainsi dans la bonne humeur, comme si la guerre n'était pas à l'aube d'une radicalisation. Le lendemain, Marko marcha jusqu'au magasin, sifflant gaiement. Il passa devant une maison en stuc qui, ayant perdu quelques-unes de ses couches sableuses à cause de la pluie, exhibait désormais une enseigne rouge vif datant de 1945 sur laquelle on pouvait lire : Camarade Staline, grand ami et protecteur des petites nations opprimées. Et à la devanture d'une nouvelle banque apparaissait sous les impacts de balle le slogan : Nous sacrifierons nos vies, mais Trieste, jamais ! Toujours en rouge. Bien sûr, Tito avait restitué Trieste à l'Italie en échange de la protection des Occidentaux contre Staline. Camarade Tito aime les fleurs et les enfants. Marko n'avait jamais remarqué ces inscriptions ; peut-être ces immeubles étaient-ils peints assez fréquemment pour en cacher les slogans ? Mais là, l'histoire indélébile rôdait, toujours prête à la raillerie. Marko sourit parce que les vieilles inscriptions en côtoyaient d'autres, des affiches modernes totalement ridicules, imitant les lettres tordues et nerveuses des graffiti : Longue vie au président Dr Tudjman et La Croatie aux Croates.

Mais il ne rit pas longtemps. La devanture de son magasin était jonchée d'éclats de verre. Une bombe avait-elle explosé sur la chaussée, faisant éclater les fenêtres ? En s'approchant du magasin, il comprit que ce n'était pas ça. À l'intérieur, toutes les étagères avaient été fracassées, toutes les marchandises pillées. Quelques bocaux de confiture de prunes gisaient sur le sol, brisés, avec autour des traînées rouge sombre, gluantes, comme une cervelle qui se serait répandue. La caisse enregistreuse avait disparu. Il avait ramené l'argent avec lui la veille, mais la machine valait une fortune. La porte menant à la réserve avait été défoncée, et des éclats de bois couvraient le sol.

Il s'agenouilla, se blessa au sang sur un tesson de bouteille, mais ignora la douleur. Il pleura. Merde, c'est la fin ! Pourquoi ont-ils fait ça ? Il aurait mieux valu qu'ils me tuent, au moins, je n'aurais pas souffert.

Que dois-je faire ? Que dois-je penser que je devrais faire ? Comment pourrais-je penser ? Qu'y a-t-il à penser ?

On ne peut penser que si l'on croit en quelque chose, une chose pour laquelle se battre, une valeur, un étalon pour toutes les questions. Mais là, je ne peux croire en rien. Je ne peux penser à rien.

Et toujours il se demandait. À qui est-ce la faute ? Ou mieux : À qui n'est-ce pas la faute ? Les Serbes détruisaient la ville de l'extérieur, les Croates la démolissaient de l'intérieur.

Il marcha doucement jusque chez lui. En chemin, il remarqua un autre magasin, lui aussi tenu par un Serbe, complètement saccagé. Un travail copié des livres d'histoire, inspiré de la Nuit de cristal.

À la maison, il raconta à sa femme ce qui s'était passé.

« Mon Dieu, même les Croates sont devenus fous.

— Que veux-tu dire, *même* ?

— C'est assez, il faut partir !

— Et pour aller où ? Dans un monde pareil, quelle différence ça peut faire, l'endroit où tu vas ?

— Ce n'est pas comme ça en Allemagne ou en Autriche.

— Avec la chance qu'on a, ça va le devenir aussitôt qu'on y sera. Ils en ont marre des étrangers, des réfugiés, des gens du sud ; si j'avais un magasin là-bas, je suis sûr qu'ils y lanceraient une bombe incendiaire. Ou ils trouveraient un camp de réfugiés, une sorte de camp de concentration, en banlieue de Vienne, où ils nous enfermeraient pendant des années en nous nourrissant de saucisses bon marché et de flotte.

— Tu es pessimiste.

— Réaliste. Un réaliste pense comme un pessimiste parce que la vie aboutit toujours à la mort. La vie se termine immanquablement par le pire des scénarios : la maladie et la mort. Alors, comment peut-on être optimiste ?

— Au moins nous sommes là l'un pour l'autre, nous avons nos enfants, et nous sommes tous en bonne santé !

— Tu appelles ça avoir la santé ? Je suis sûr que j'ai un ulcère, le cancer, et si je ne l'ai pas encore, ça viendra. Nous ne resterons pas éternellement hors de portée de toutes ces substances cancérigènes qui nous entourent, elles vont s'infiltrer en nous sans qu'on le sache, elles nous ont déjà trouvés, nous dévorent de l'intérieur. Alors, ne viens pas me parler de santé.

Ils ne dirent rien aux enfants.

La nuit, les sirènes s'intensifièrent, et ils se retrouvèrent au sous-sol sur des caisses de sucre et de sel.

« J'espère qu'ils vont bombarder ma garderie », dit Danko.

Marko lui envoya une gifle sur la bouche du revers de la main.

« Pourquoi as-tu fait ça ? » demanda Dara.

L'enfant pleurait et geignait.

« Désolé, s'excusa Marko, mais c'était une chose horrible à dire. Je n'ai pas pu me retenir.

— Ce n'est qu'un enfant.

— Je sais, je suis désolé.

— Tu devrais avoir honte.

— OK, ça suffit ! » Il prit Danko et tenta de lui faire un câlin, mais le gamin le mordit et regimba. Marko le serra jusqu'à ce qu'il se calme. Ses avant-bras finirent couverts de son sang chaud que son fils avait répandu.

« Tu vois, nous avons tous le diable dans la peau, s'indigna-t-il.

— Maintenant, c'est la faute de l'univers si tu as un sale caractère !

— Absolument.

— J'ai faim, les interrompit Danko.

— Tu n'as aucune excuse pour frapper notre fils si adorable.

— Ne dis rien. Donne-lui à manger si tu veux prouver quelque chose. »

Cela, au moins, c'était facile. Marko avait entreposé pas mal de victuailles au sous-sol, mais comme il n'avait pas d'ouvre-boîte sous la main, il grimpa les escaliers pour aller en chercher un. En montant, il se rappela vaguement qu'il faisait quelque chose de risqué. Et s'il y avait une explosion maintenant ? Eh bien, maintenant, il en serait heureux. Mon Dieu, par pitié, faites que ça saute !

Il redescendit aussi des cuillères, et toute la famille put se régaler de haricots frits et de piments marinés. Ils restèrent là jusqu'à l'aube, qui ramena la lumière même dans la cave poussiéreuse – pas assez pour illuminer les particules de poussière en suspension, mais assez pour qu'ils comprennent que la nuit était finie. Et, bien sûr, les explosions avaient cessé, celles des avions comme celles des collines. Tout le monde dormait, assaillants et assaillis, peut-être même Dieu, mais cela n'empêcha pas la lumière de changer son bleu indigo en un gris brumeux. Marko et Dara portèrent en haut leurs enfants endormis, Marko se chargeant du plus lourd.

« C'est l'heure de dormir, dit Dara.

— Ouais, super ! J'ai un jour de congé. Peut-être même une vie de congé. Tout le temps qu'il me faut. Même pas besoin de dormir. Et si on faisait l'amour ?

— T'es sérieux ?

— Oui, évidemment, la survie de l'espèce est en jeu. Et puis, les enfants dorment.

— Laisse-moi y penser.

— À quoi ?

— Au sexe, bâilla-t-elle.

— Tu vas tomber endormie.

— Laisse-moi au moins prendre un bain. Ça fait des jours que je n'en ai pas pris un.

— Moi non plus. ne Je vois pas comment ça pourrait nous déranger maintenant !

— Moi, ça me dérange. Un conseil : prends-en un aussi. »

Plus tard, pendant qu'ils faisaient l'amour, il se retrouva vite à bout de souffle, suffoqua et roula sur le dos, croyant à une crise cardiaque. Merde, je ne peux même plus faire ça ! Il retrouva toutefois rapidement le souffle et, après que Dara eut simplement effleuré ses muscles abdominaux de ses ongles, son abdomen tressaillit et son érection revint. Il redoubla d'efforts, essaya de se souvenir d'une Hongroise à la mini-jupe soulevée par le vent, de n'importe quelle Hongroise en fait, mais aucune image ne lui revint, seulement des idées d'images. On aurait pu reprocher à sa femme d'être trop grosse, mais lui n'avait pas cette impression ; il la trouvait bien proportionnée, charnelle, voluptueuse, et il aimait que ses mèches folles lui chatouillent le cou, les oreilles et même le dos quand il l'étreignait. Il ne réussit à maintenir sa ferveur amoureuse que le temps de quelques battements de cœur, puis il roula sur le côté, pantelant. Il eut presque envie d'avoir honte, mais à quoi cela rimerait-il ? Se sentant éminemment menacé de toutes parts, son corps faisait tout dans l'urgence, digérer, baiser, respirer – tout était intense. Il n'avait pas pris sa tension, mais il était certain d'avoir atteint les 200/120. Dix minutes plus tard, il prit son pouls et vit qu'il battait encore à plus de 100, comme s'il était un astronaute venant d'atterrir sur la lune, ce qui pourrait très bien être son cas, une lune parsemée de cratères béants, la face cachée de la lune, celle que la Terre ne voit pas, et n'a pas envie de voir.

Dara gémit, et il se demanda si elle faisait un cauchemar ou si elle avait continué à se caresser en douce pour pallier sa défaillance.

Malgré toutes les convulsions et les halètements de l'acte sexuel et la contemplation de ses écarts de tension artérielle, il se calma et sa respiration ralentit, son sentiment de sécurité s'accrut ou, plus exactement, le fait qu'il soit ou non en sécurité le laissait de plus en plus indifférent. C'est ainsi qu'il s'endormit, avec dans la tête des images glanées en état de veille dansant sous différentes formes colorées, avec des feuilles se changeant en bancs de poissons jaunes s'enfonçant toujours davantage dans les profondeurs, et cette sensation de sombrer fut pendant un moment réconfortante et agréable. Sommeil, merveilleux sommeil ! Marko se rendait compte qu'il accueillait et saluait cet état de conscience altérée. Mais cela ne dura pas, car il n'était pas en sécurité, même dans le sommeil, où ses rêves le piégèrent dans un kaléidoscope de sang et de confiture qu'il tentait de traverser à la nage et dont il voulait s'extirper pour aller vers la lumière, mais celle-ci se changea en éclats de verre qui lui percèrent les yeux et les vidèrent de leur liquide. Il se réveilla, en sueur et tremblant, soulagé de constater que ce n'était qu'un mauvais rêve – rien ne lui lacérait les yeux, sinon la lumière qui entrait par la fenêtre. Il n'était pas englué par son sang dans les éclats de verre de son magasin. Le plaisir de se réveiller se résumait souvent à quelque message subliminal l'assurant qu'après le cauchemar viendrait le brillant démenti du soleil, des rayons de lumière dans lesquels les fantômes partiraient en fumée. Il faisait souvent de mauvais rêves, mais même plongé au plus profond de ses songes, il lui restait une certaine forme de conscience : il suffit de se réveiller pour échapper au danger. Sauf que cette fois-ci, l'éveil ne l'aida pas, car, plus il était réveillé, plus il comprenait que la menace qui pesait sur lui était peut-être plus sérieuse qu'il ne l'avait imaginé. Et s'il sortait dans la rue et se faisait abattre par un soldat croate ? Peut-être avaient-ils commencé à tirer sur les civils serbes. Qui sait si, en douce, ils ne les entraîneraient pas dans les bois pour les y trucider, massacrer, brûler, enterrer ? Et que se passerait-il si, après qu'il se serait avancé de quelques pas, une grenade tombait, lancée par un de ses compatriotes dans la montagne ? Et si… mais il n'y avait plus vraiment de *si* dans son esprit, plutôt des *quand.* Que se passera-t-il quand la grenade tombera ?

Le téléphone sonna. Sa femme se dirigea vers l'appareil, mais il l'agrippa et dit : « Ne réponds pas.

— Pourquoi pas ?

— Tu ne sais pas qui appelle.

— C'est pour ça qu'on décroche.

— Je ne veux pas savoir. »

Le téléphone sonna de nouveau, et Marko monta la garde devant, de crainte qu'un membre de la famille ne décroche. Ils m'attaquent par tous les moyens, pensa-t-il. Avec la lumière, avec l'obscurité, avec le bruit, avec le silence, du dehors et du dedans.

« Va te chercher une bière, dit Dara, tu deviens trop bizarre, calme-toi.

— C'est pas une mauvaise idée, mais si je bois une bière, je pense que je vais la vomir ; le seul fait d'y penser me retourne l'estomac. » Et il rota comme s'il en avait descendu une caisse.

« Alors, ton plan, c'est de rester assis ici à devenir de plus en plus dingue ? On ferait mieux de partir. À ce stade, il vaudrait encore mieux aller en Serbie. Au moins, personne ne la bombarde.

— Vrai, répondit-il, mais tu es Croate.

— Ils n'ont pas besoin de le savoir.

— Ils le sauront.

— Comment ? Et qu'est-ce que ça fait ?

— Tout le monde sait tout.

— Et nous y revoilà ! Faisons plutôt nos valises. »

Elle le considéra avec mépris. Il se demanda si c'était à cause de ses pauvres performances sexuelles. Elle était belle avec la lumière qui se reflétait dans ses cheveux, créant une aura teintée de verts et de bleus. Son mépris n'en était que plus irritant. Elle croit que je ne suis bon à rien, que j'ai trop peur pour partir. Ai-je peur de partir ? Non, il faut plus de courage pour rester que pour fuir. Mais regarde, elle est sûre que je ne peux pas m'en aller, et elle ne fait que se moquer, comme d'habitude. Peut-être ne veut-elle même pas partir, elle veut juste me faire porter le blâme.

« D'accord, bon Dieu, allons-y ! » s'écria-t-il.

Surprise, elle eut un mouvement de recul. Peut-être avait-elle prévu qu'il refuserait. Son étonnement le réjouit. Et puis, n'importe quel changement valait mieux qu'attendre, claquemurés, jusqu'à ce que l'irréparable se produise, comme c'était déjà arrivé.

En silence, ils empilèrent dans la voiture les documents de famille, les photos, quelques objets dont ils avaient hérité, le sabre finement ouvragé du grand-père de Marko, quelques jouets (sans aucune valeur, mais sans prix aux yeux des enfants à ce moment-là), des chaussures, l'argenterie, les premiers dessins des enfants.

« Où allons-nous ? demanda Mila.

— On va skier dans les Alpes slovènes, répondit Marko. Comme l'an dernier.

— Chouette, s'écria-t-elle.

— Ne mens pas aux enfants, s'insurgea Dara.

— Et comment sais-tu qu'on ne va pas se retrouver là, hein ? » l'interrogea Marko.

Danko accepta d'aller partout où il ferait froid en échange d'une tablette de chocolat. Marko lui en donna une que l'enfant se mit à suçoter.

Au coucher du soleil, ils amorcèrent la traversée de la ville, ce qui les amena à passer devant le magasin.

Aux coins des rues, les soldats croates montaient la garde. Au début, il n'y avait eu que la police croate, mais désormais, on trouvait une sorte de milice armée, constituée par des gens qui venaient d'on ne sait où. Juste à leur tête, Marko pouvait dire qu'il y avait parmi eux des mercenaires étrangers – des hooligans du football néerlandais et anglais aux avant-bras et aux joues tatoués, et des Croates descendus des montagnes bosniaques, plus ossus et plus grands que les paysans croates de Slavonie. Ces types se livraient-ils au pillage ? Ils étaient de parfaits étrangers, des envahisseurs venus sous prétexte de les défendre. Peut-être que seuls quelques-uns d'entre eux étaient des pillards ? Peut-être l'étaient-ils tous ? Comment savoir ? Qui avait saccagé les magasins ?

Il décida de ne même pas prendre la peine de regarder le sien. À quoi bon ? Il ne jetterait pas un regard, comme s'il quittait Sodome. Mais alors qu'ils approchaient du magasin, il vit des gens transporter quelque chose et ne put résister.

Les derniers rayons du soleil couchant noyaient de rouge l'endroit où aurait dû se trouver son magasin. Une fois qu'il eut dépassé l'éclat aveuglant, il remarqua que son magasin avait de nouvelles vitrines. Il s'arrêta et sortit de la voiture.

« Ah, te voilà ! » s'exclama Branko de ses lèvres pincées qui, au lieu de serrer une cigarette, emprisonnaient de longs clous.

« Que se passe-t-il? Qui a repris mon magasin? demanda Marko.

— J'ai essayé de t'appeler comme un dingue, mais tu décroches jamais ton putain de téléphone !

— Qui a volé mon magasin ?

— Personne, mon vieux. On était tous d'accord pour dire que ce qui t'est arrivé est terrible, alors on reconstruit ton magasin.

— Comment ça ? D'abord vous le détruisez, et après vous le reconstruisez ?

— Écoute, on vit tous dans la même ville. C'est des types venus d'ailleurs. Des Croates, d'accord, mais qui sait d'où ils sortent ? Ils sont là pour piller. Ce qu'ils espèrent, c'est d'aller piller les villages serbes, et en attendant, ils saccagent ici. Tu penses qu'ils se préoccupent de savoir qui est qui ? Non, ce qu'ils veulent, c'est le butin, le butin de guerre. C'est du business. Ta marchandise est déjà vendue, probablement déjà en route vers la Serbie, et l'argent se trouve dans les poches de quelques soldats.

— Tu penses ?

— Tout à fait, renchérit un autre de ses vieux copains d'école, Ivan, qui s'était fait virer de l'école vétérinaire et tenait désormais un parc à ferraille dans l'ouest de la ville.

— Mais toi, il n'y a pas de danger qu'ils pillent ton commerce, dit Marko.

— Non, rigola Ivan, j'ai fait preuve de sagesse en choisissant ma profession. »

Les hommes continuaient de travailler.

Marko revint à la voiture et raconta tout à sa femme. Puis il tourna la clé de contact et repartit. Ils passèrent devant plusieurs magasins, une boulangerie, un bar, pour la plupart tenus par des Croates. Tous avaient été démolis. On en avait réparé quelques-uns, mais d'autres restaient béants, blessés, obscènes, et il y avait des ruines encore fumantes, des volutes âcres qui s'élevaient à peine du sol, dérivant comme de la poussière.

Que dire ? Cette vision était-elle rassurante ? Oui, Marko la trouvait rassurante. Il n'avait pas été ciblé. Et maintenant, il était ému.

« Qu'est-ce que tu attends, demanda Dara. Tu es en train de changer d'avis ?

— Ouais, peut-être que tout va bien se passer par ici ?

— Tu trouves tout ça rassurant ? D'accord, ils vont refaire brûler ton magasin. Ils attendent simplement que tu le remplisses de nouveau de saucisses et de fromage. On continue ! »

Marko se remit en route, lentement, espérant trouver le bon argument qui lui permettrait de faire demi-tour et de ne pas avoir à passer à travers la Hongrie pour se rendre en Voïvodine et en Serbie.

Soudain, à la sortie d'un virage, il aperçut des flammes et s'arrêta. Il y avait là deux tonneaux où brûlaient des feux prodiguant chaleur et lumière. Un poste de contrôle. Mais tenu par qui ? D'une manière ou d'une autre, il ne voulait être ni contrôlé ni interrogé ; il ne pouvait avoir confiance en personne. Toutefois, ils avaient sans doute vu la voiture, bien qu'il ait éteint les phares. Les étoiles se détachaient très clairement dans le ciel noir, merveilleusement lumineuses. Quel dommage qu'il ne puisse jouir de ce moment de beauté dans l'obscurité, ou peut-être était-ce précisément à cause de l'obscurité qu'il pouvait en fait l'apprécier ? Vivait-il ses derniers instants ? Sur le plan cosmique, cela n'avait pas la moindre importance.

« Qu'est-ce qui te paralyse ? demanda Dara. Tu ne vois pas qui c'est ? Tu n'écoutes pas la radio ? »

Il regarda le poste de contrôle et remarqua soudain que les quatre soldats, deux assis et deux marchant nonchalamment, portaient des casques. Des Casques bleus ! Les Nations Unies avaient établi des postes de contrôle pour s'interposer entre les parties belligérantes. De soulagement, il éclata de rire. Ce n'était pas encore le moment de s'abandonner à la pensée cosmique. Une inscription qui aurait été du meilleur effet sur un mur se mit à clignoter dans son cerveau : Nations Unies : amies et protectrices des nations petites et opprimées. Il avança, et les soldats népalais les arrêtèrent et lui posèrent en anglais une question qu'il ne comprit pas. Un des soldats regarda dans le dictionnaire. « *Oruzje ?* Bombe ?

— Bien sûr que non », répondit Marko.

Ils fouillèrent le coffre. « *Slivovitz ?*

— Non. »

« Mince, il se fait tard, lança Marko, à peine passé le poste de contrôle. T'es sûre que tu veux continuer ? Tu veux qu'on cherche un hôtel en Hongrie ?

— Ce n'est pas que je le veuille, mais c'est la chose à faire.

— Je pense que ce serait beaucoup plus simple de faire demi-tour et de rentrer dormir à la maison. »

Elle bâilla. « T'as peut-être raison. Et comme ça on pourrait partir demain à la première heure. »

Ils repassèrent ainsi le poste de contrôle de l'ONU où on leur posa les mêmes questions, comme si, en dix minutes, ils avaient eu le temps de bourrer le coffre de grenades.

Sur le chemin du retour, ils virent des flammes sortir

des fenêtres de bien des maisons. Ils comprirent que ces maisons incendiées appartenaient à des Serbes qui avaient grossi les rangs de l'armée serbe. Inquiets, ils roulèrent jusque chez eux, se demandant s'ils avaient subi le même sort. Que faisaient les soldats de l'ONU ? Ils se contentaient d'observer ?

Leur maison était intacte. Il faisait froid et ils étaient à court de mazout. Ils se blottirent tous dans un lit, enfouis sous une grosse couette dont ils émergèrent au matin comme des oisillons d'espèces et d'œufs différents sortis d'un même nid, tout frissonnants de froid. Marko appela Branko, qui débarqua bientôt avec trente litres de mazout.

Finalement, l'armée serbe quitta les collines de l'ouest de la Salvonie, repoussée par le premier blitz de l'armée croate. Souffrant d'anxiété et de malnutrition, beaucoup de gens avaient maigri durant la guerre, mais d'autres, comme Marko, avaient au contraire pris beaucoup de poids. Il vivait différemment, tout le monde vivait différemment. La guerre avait bousculé les habitudes. Eux qui se baladaient tous les soirs dans le parc municipal, qui se promenaient sur le *korzo,* avaient cessé de le faire, même si la menace des bombes avait disparu. Le siège avait transformé leur style de vie. Les gens vivaient désormais à l'américaine : ils regardaient davantage la télévision (ils disposaient maintenant de plus de canaux), et avalaient de plus gros repas, comme si la guerre avait donné à cette jeune nation une faim que rien ne parvenait à combler. Branko aussi avait grossi. Pas étonnant alors que, lorsqu'ils se retrouvèrent dans un café en sous-sol – pendant la guerre, tous les cafés avaient déménagé dans des caves –, les deux vieux amis ne se soient pas senti rassasiés après un plat de *chevapi* et d'oignons. Ils se souvinrent alors du bon vieux temps, lorsqu'ils mangeaient mieux et davantage de produits sauvages, et ils décidèrent d'aller au parc cueillir des champignons. Après tout, la saison du roi bolet battait son plein. Comme leur amitié avait survécu à la guerre, ils se vouaient une confiance absolue, maintenant que les hostilités avaient pris fin. Ils dépassèrent la voie ferrée et les sources thermales, continuèrent après l'aile de l'hôpital qu'une bombe d'une tonne avait détruite la nuit même où le voisin de Marko avait péri. Marko ne se sentait pas très sûr de lui. « N'allons pas trop loin, il pourrait y avoir des mines.

— Pas ici. Plus loin, hors de la ville, mais pas ici. Les Tchetniks n'ont jamais pris le contrôle du parc. »

Ils marchaient, fixant le sol, les feuilles colorées, essayant de percevoir la forme rebondie d'un cèpe. Ils arrivèrent à un endroit où une croix avait été plantée, portant cette inscription : À la Vierge Marie, qui m'est apparue ici et m'a parlé alors que je voulais me tuer. Une couronne de fleurs pendait à la croix. Les deux hommes rigolèrent en voyant cela ; les apparitions de la Vierge Marie connaissaient une véritable inflation. Une seule personne pouvait-elle accomplir autant de choses ? La croix était faite de vieilles planches, peut-être celles d'une grange, assemblées avec des clous rouillés, dont certains étaient pliés parce que le bois était dur, sans doute du chêne, ou parce que la main de l'homme était hésitante, trop pressée. Une image bleue de la Vierge, la tête inclinée, était clouée à la croix, et même le cadre blanc avait bleui à cause des pluies. Elle avait une bouche petite, étroite, et levait timidement les doigts de la main droite, pas même jusqu'aux oreilles. Alors que les deux amis continuaient de rire tout en grimpant la colline, Marko marcha sur un morceau de métal qui couina sous sa semelle. Il baissa les yeux et aperçut le contour arrondi, en demi-lune, d'une mine qui s'enfonçait sous sa chaussure. Il s'étouffa de terreur, certain que la mine allait sauter d'une seconde à l'autre. « Cours, mon ami, dit-il à Branko, j'ai marché sur une mine !

— Sainte Mère ! » s'écria Branko, qui s'éloigna en quelques foulées et se cacha derrière un arbre, d'où il regarda le pied de Marko.

« Ne bouge surtout pas, hurla-t-il, je cours chercher de l'aide ! »

Paralysé par la peur, Marko aurait été incapable de bouger de toute manière. L'aigle de la mort jetait son éclat blanc. Et le vent souffla silencieusement, emportant le morceau de papier délavé, avec l'image de la bouche étroite, au-dessus des feuilles d'un jaune vibrant.

Il resta ainsi une demi-heure, le cœur battant si fort qu'il fut pris de vertige, glissa et perdit l'équilibre. Dans sa chute, ses favoris et ses oreilles frottèrent et brisèrent le chapeau d'un aigle de la mort. Son nez plongea dans l'humidité des feuilles jaunes de hêtre. Il prit une délicieuse inspiration dans les feuilles, étonné que la mine n'ait pas explosé. Sa chevelure, toutefois, avait totalement blanchi, le condamnant à avoir l'air d'un saint à jamais.

Grêle

De grosses gouttes scintillantes tombaient doucement, avec comme arrière-plan la paroi d'une montagne bleue. Ravi par le chuintement de ce déluge, Haris se souvint d'un des premiers suttas bouddhistes : « Libre de colère, mon entêtement parti ; je ne vis qu'une nuit sur les rives de la Mahi ; ma hutte est sans toit, mon feu éteint : si tu le veux, dieu de la pluie, vas-y donc et qu'il pleuve. » Cela voulait peut-être dire : Ne t'inquiète pas et réjouis-toi dans la pluie ou Attaque-moi maintenant que je suis mis à nu et vois si cela me dérange.

Ce n'est que lorsque l'averse atteignit la crête rocheuse où il était posté et qu'elle se déversa sur lui qu'il comprit qu'il s'agissait d'une tempête de grêle, des glaçons blancs, de la taille d'un œuf de moineau. Pendant un instant, il imagina une grêle d'œufs de moineau capable de nourrir toute la nation bosniaque (sauf que la nation ne faisait plus un tout, n'en avait jamais fait un). On ramasserait les œufs, on les ferait bouillir, et on les mangerait dans leur mince coquille. Pour échapper à ces pierres d'eau qui tombaient par légions, il se réfugia sous la voûte de la pinède.

Il s'assit dans la position du lotus, inhalant l'arôme de la résine et sentit l'humidité du sol épineux transpercer son pantalon. Il poussa un « Om » pour marquer la fin de sa méditation, mais, au lieu de se vider l'esprit et de l'harmoniser avec l'univers, il s'étonna de cette coïncidence voulant qu'on utilise le même son pour désigner l'unité de résistance électrique. Ohm. Il pensa curieusement que son esprit était un ohmmètre, et que peut-être l'harmonie de l'univers consistait non pas à aller dans le sens du courant, mais à résister. Il marchait courbé pour éviter les branches basses – les rangées d'aiguilles sur les branches ressemblaient à d'amples vêtements couvrant les bras de Jésus ou de n'importe quel prophète flottant dans ses habits et capable de tendre plusieurs mains à la fois, comme Shiva – et faillit se buter contre Hasan. « Tu parles tout seul ? » demanda celui-ci.

Leur sergent passa tout près dans son nuage de fumée de cigarette.

« C'est vraiment trop difficile d'être musulman, continua Hasan. On devrait se soûler la gueule à la *slivovitz,* mais on n'a même pas le droit d'en prendre une goutte ! » Il se moucha en faisant trompeter son nez dont le bout, une fois libéré de la pression du pouce et de l'index, vira du blanc rosé au rouge luisant. « Un bon coup de gnôle me guérirait, je parie. Et quelques bonnes blagues ne feraient pas de mal. T'en connais pas une bonne ?

— Hum, j'ai pas l'esprit à la rigolade en ce moment.

— D'accord, alors, moi, je vais t'en raconter une. De retour d'Allemagne, Mujo traverse Tuzla dans sa Mercedes neuve. Il baisse la vitre et salue les gens dans la rue. "Hé, l'interpelle son ami Jamal, pourquoi est-ce que tu agites la main ? Presque tout le monde a une Mercedes maintenant." "T'as raison, lui répond Mujo. Mais c'est pas tout le monde qui a encore toutes ses mains." » Hasan éclata de rire en répétant la chute, mais Haris resta de marbre.

Hasan se racla la gorge et cracha le mucus. « Il faudrait flinguer le mec qui a inventé la guerre. C'est tellement chiant ! »

Haris prit de nouveau une profonde inspiration, savourant l'odeur des pins, puis expira, sentant ses poils vibrer dans ses narines. Peut-être aurait-il dû les arracher. Enfin, pourquoi ferait-il une chose pareille ? Sans doute filtraient-ils la poussière et, en plus, ils accentuaient son odorat. Chez le serpent, la langue est l'organe de l'odorat. Qui nous dit que pour nous ce ne sont pas les poils ?

Hasan le fixa de son regard bleu exorbité et dit : « Oh, je comprends, je ne suis pas non plus très enthousiaste. Je vais te confier un secret. J'aurais voulu être marin, mais j'ai été mobilisé. »

Les derniers échos de la tempête de grêle exhalèrent un somptueux silence et, les yeux fermés, Haris s'abandonna à la beauté sublime de ce bruit disparu.

Mais cette quiétude ne dura pas, car Hasan continuait de bavarder.

« Et toi ? Est-ce qu'ils t'ont forcé ?

— J'étais pacifiste et je le suis toujours, et j'avais réussi à échapper à la mobilisation de l'Armée du peuple yougoslave. Mais à Sarajevo, le parc que j'avais l'habitude de regarder depuis mon café préféré a disparu. Les gens ont coupé les arbres et les ont fait brûler dans des marmites ou dans des poêles de fortune, enfumant du même coup leur logement. Le parc est devenu une prairie chauve, avec juste des moignons d'arbres qui dépassent, comme des bras auxquels on aurait tranché les mains, comme si les arbres avaient volé – quoi ? de l'air ? – et qu'on les avait mutilés en vertu des lois du Coran. J'ai pensé “Vous ne pouvez pas nous prendre les arbres”, et je me suis engagé. »

Le sergent sortit en claudiquant de son nuage de fumée et les apostropha. « Qu'est-ce que vous avez à jacasser comme ça ? Rejoignez le groupe. »

Ils le suivirent. « Nos éclaireurs sont de retour, dit le commandant, un costaud à la barbe blanc et noir (blanche sur les joues et noire sur le menton). Il désigna deux maigrichons, qui paraissaient défoncés à la cigarette, la joue creuse, la dent rare et jaune.

« Répétez-leur ce que vous venez de me dire, ordonna le commandant.

— Bon Dieu, s'exclama l'un des éclaireurs d'une drôle de voix. Nous avons avancé jusqu'à leur position. Il suffit de contourner la montagne, il n'y a aucun obstacle. Ils ne se doutent absolument pas que nous sommes là.

— Ils n'ont même pas de gardes postés autour de leur camp, ajouta l'autre éclaireur en clignant des yeux, un côté du visage agité de tics. On peut les apercevoir en contrebas. »

Il invita les soldats à le suivre sur le sentier de crête et leur prêta ses jumelles afin qu'ils puissent observer les hommes en train de faire rôtir sur des fosses une paire de bœufs dans le poitrail desquels ils avaient enfourné des agneaux.

C'était le crépuscule et la brume montait de la vallée, enveloppant cette vision lointaine.

Le commandant exposa son plan. La moitié des hommes contourneraient la montagne pour les prendre à revers tandis que l'autre les attaquerait de front, deux heures plus tard.

Haris et ses compagnons avancèrent avec précaution, de peur de marcher sur une mine, et ce, même si les éclaireurs étaient déjà passés par là sans rencontrer d'obstacles. Il faut dire qu'une mine, en plus de blesser quiconque aurait marché dessus, aurait aussi révélé la position des musulmans.

Ils se retrouvèrent juste au-dessus du camp ennemi. Haris tenta de contrôler sa respiration, de se délecter de l'odeur des pruniers et de la viande d'agneau rôtie qui lui parvenait dans la brume par bouffées, mais il n'y avait dans sa respiration ni joie ni maîtrise. Son cœur pilonnait ses poumons, lui coupant le souffle, et il sautait des battements, puis accélérait dans une folle chevauchée, syncopant un rythme étrange qu'il n'avait pas éprouvé depuis fort longtemps, celui de la peur à l'état pur. Il était certainement moins dangereux d'avancer dans la brume que par temps clair, mais cela rendait aussi le monde invisible, inconnaissable. Aucune méditation, aucun mantra n'aurait pu apaiser son cœur.

Soudain, des balles firent gicler de la boue tout autour de lui. Des armes tout près de lui ripostèrent, prenant pour cible l'endroit d'où résonnaient les coups de feu.

« En avant, pour la Bosnie et pour Allah », hurla le commandant.

Haris tira en direction des détonations et s'accroupit sur le sol, puis se mit à ramper dans la boue qui lui glaçait les coudes et les genoux, mais il s'en fichait, tout comme il se fichait des cailloux acérés qui l'écorchaient, la peur agissant comme anesthésique.

Ils continuèrent de tirer et de s'approcher du feu et, tout à coup, des hommes furent sur eux, et ils s'affrontèrent à coups de crosse, de baïonnette, de couteau, et tirèrent à bout portant, s'empoignant pour chercher à s'étrangler les uns les autres.

Les cris, les jurons, les prières et des noms de pères et de mères se mêlèrent aux balles, au sang et à l'urine. Les deux bataillons se tombèrent dessus comme dans un combat du

Moyen Âge, ou peut-être même d'avant. Les croisés, toutefois, étaient protégés par des armures et des boucliers, comme avant eux les Grecs et les Perses, mais là, les baïonnettes, les couteaux et l'acier s'abattaient directement sur les crânes, les chairs, les os, qui craquaient et s'ouvraient, déversant leur moelle.

Haris embrocha de sa baïonnette une silhouette qui se ruait sur lui, poussant pour essayer de la transpercer. L'homme tomba à la renverse et cria : « J'encule ton rayon de soleil ! » Haris ne pouvait pas distinguer les traits de l'homme dans le noir, mais il ne pouvait relâcher la pression de peur que ce grand corps qui gigotait sur le sol, lui décochant des coups de pied et lui brisant presque le tibia, se relève et le jette à terre. De plus, ne sachant même pas s'il appuyait au bon endroit sur le corps de l'homme, ni même s'il était vraiment sur son corps, Haris se pencha dans l'obscurité. Il poussa, mais la baïonnette ne transperça pas l'homme, alors il mit tout son poids sur la crosse de son fusil et sentit enfin l'abdomen céder et la lame se frayer un passage dans la cage thoracique. Cette plongée de la baïonnette, il la vécut un bref instant comme un glissement triomphal, puis il fut envahi d'un sentiment d'écœurement. Il laissa le couteau dans le corps qui émettait d'étranges grognements et d'où émergea ce dernier juron : « Ta mère serbe ! » Puis un flot de sang gargouilla dans la gorge de l'homme, et ce furent ses derniers mots, sur lesquels il n'expira pas, mais s'étouffa.

La gorge de l'homme mort produisait encore des gargouillis. Haris venait-il de tuer l'un des siens ? Un Serbe jurerait-il comme cela ? Oui, c'était possible. Mais un musulman, pensant qu'Haris était serbe, ne serait-il pas plus susceptible de jurer de cette manière ? Et serait-ce vraiment moins horrible si cet homme était Serbe plutôt que musulman ?

Pile à ce moment, une pierre s'abattit sur son crâne et la brume mouillée du champ de bataille s'évanouit, aussitôt remplacée par une sensation de chaleur dans la tête. Quand il revint à lui, des nuages blancs défilaient rapidement une dizaine de mètres au-dessus de lui. Haris se releva. Il pouvait à peine garder l'équilibre. Sa tête le faisait souffrir à chaque pas.

Il trébucha sur un corps dont le crâne éclaté laissait échapper une cervelle encore palpitante et dans laquelle s'étaient incrustées des aiguilles de pin. Il sentit la sienne vibrer, comme si elle aussi était percée d'aiguilles. Il toucha sa tempe droite et ses doigts glissèrent sur une substance tiède et visqueuse.

Il se traîna jusqu'au sommet d'un rocher et contempla, en contrebas, des os de bétail éparpillés et un char d'assaut rouillé. Il marcha péniblement dans le camp et découvrit d'autres cadavres de ses camarades issus des deux contingents. Il en conclut que les deux sections n'avaient pas attaqué les Serbes, mais s'étaient entretuées. Où étaient ses camarades survivants ? Et s'il était le seul ?

Cette pensée l'horrifia et lui plut en même temps. Si la montagne appartenait désormais aux faucons, aux loups, aux sangliers et aux renards, et s'il était le seul humain alentour, alors il serait libre de vagabonder, de boire dans les ruisseaux limpides, de ne plus jamais parler, de ne plus jamais être la cible de mensonges ou de tirs amis ; alors il pourrait enfin accéder à la spiritualité. Il se souvint de l'un de ses suttas préférés, qu'il avait appris près du parc rasé, pour passer le temps, à Sarajevo, quelques années auparavant : « Renonçant à la violence contre tous les êtres vivants, ne faisant de mal à aucun, ne voudrais-tu comme descendance un tel compagnon ? Va-t'en tout seul, comme une corne de rhinocéros. »

Il avait toujours aimé la solitude, et, même dans la cité trépidante, il n'avait pas forgé de liens solides – du moins pas avec les gens, mais avec les cafés, oui. Les quelques petites amies qu'il avait eues avaient fini par le plaquer aussitôt qu'elles eurent compris qu'il n'était pas du genre à se marier, et c'est ainsi que, depuis des années, il n'avait pas touché une femme, même s'ils les convoitaient à l'occasion. Mais ici, dans les montagnes, il n'aurait plus à se soucier du désir non plus. Il serait absolument seul, il pourrait devenir un bon bouddhiste, bien méditer.

Il ne serait pas vraiment seul toutefois. Des centaines de cadavres dont les fantômes l'observeraient et le tortureraient dans ses rêves lui tiendraient compagnie. Il avait tué un homme d'une manière horrible, et son karma ne lui permettrait pas de se libérer de la souffrance, encore moins d'atteindre le nirvana. Un côté de son visage s'engourdit et une de ses oreilles se mit à siffler. Il avait sans doute une commotion cérébrale, mais les artères de la dure-mère avaient-elles cédé ? Celle-ci s'était-elle fissurée ? Si c'était le cas, il aurait dû aller à l'hôpital, mais comment faire confiance à ces établissements dans le contexte actuel ? Se présenter là pour une commotion cérébrale alors que des gens mouraient le reléguerait au bas de la liste des priorités. Et les soins dans les hôpitaux étaient si médiocres... Non, mieux valait mourir comme un chat sauvage, caché, solitaire. Même les chats domestiques s'arrangent quand ils le peuvent pour mourir hors de la vue de tous, pour n'ennuyer personne et n'être ennuyés par personne, comme s'ils étaient parvenus à l'illumination. Alors pourquoi pas lui ?

Il se déplaça tant bien que mal dans le camp à travers les débris de lecteurs de CD, de téléviseurs, de cartons remplis de bouteilles de bière vides, de chaussures. Il trouva un talkie-walkie qui émit un grésillement quand il l'activa ; les piles fonctionnaient encore. Dans les cartons de bouteilles vides, il en trouva une pleine. Il coinça l'extrémité entre deux pierres pour tenter de faire sauter la capsule. Le verre céda. Il versa la bière dans un récipient en aluminium. Peut-être avalerait-il des éclats de verre.

À l'endroit le plus élevé du camp, une dizaine de corbeaux bruns becquetaient les entrailles d'un soldat. Derrière les charognards, plusieurs hommes de son unité firent leur apparition, éclairés de l'arrière par l'orangé du soleil levant. Ils contournèrent le cadavre, mais les charognards les ignorèrent et continuèrent de festoyer.

« Quel soulagement de vous voir, dit Haris.

— J'ai cru que t'étais mort, dit Hasan, qui avait un œil au beurre noir.

— Qu'est-ce que tu fais ici ? demanda Mirko, un soldat qui portait un bandage sur le cou. Pourquoi es-tu seul ?

— Je me le demande aussi. »

Il se leva et, alors qu'il dépliait son corps, il ressentit une vive douleur dans le bas des côtes. Est-ce que je me les serais cassées en sautant sur la crosse du fusil ?

« C'est bizarre, dit Haris, il n'y a pas le moindre Serbe.

— Bizarre, oui », admit le commandant.

Hasan inclinait chaque bouteille dans l'espoir d'en tirer quelques gouttes, produisant chaque fois un bruit de succion.

« Arrête ça, espèce de plouc dégueulasse, ordonna le sergent. T'as pas peur des microbes ? Imagine un peu toutes ces bouches serbes bavant dans ces bouteilles, c'est comme si tu les embrassais.

— J'embrasserais des bouteilles quelles que soient les circonstances, répondit Hasan, et pour ce qui est des microbes, je suis sûr de les avoir tous ; ils n'ont rien de nouveau à m'apporter. Et si ta salive était de la bière, rien à foutre, je t'embrasserais !

— Arrête tes sottises », le reprit le sergent, puis, se tournant vers Haris : « Alors, Haris, que s'est-il passé selon toi ?

— Regarde-les, ils mangent encore ! » dit Haris en montrant deux corbeaux qui se disputaient un morceau d'intestin grêle. Traversées par la lumière du soleil, les tripes lançaient des reflets cramoisis.

Mais il était le seul à observer la scène. Ses camarades l'avaient entouré et ne le lâchaient pas des yeux.

« Tu ne réponds pas à ma question, soldat, l'interrompit le commandant. Quelqu'un leur a certainement dit ce que nous préparions.

— C'est peut-être les éclaireurs, suggéra Hasan. Ils étaient devant nous et ont très bien pu les avertir.

— Les éclaireurs sont morts, objecta le commandant.

— Ça ne veut pas dire qu'ils n'ont pas prévenu les Serbes.

— S'ils l'avaient fait, ce n'aurait pas été très malin de leur part de nous accompagner et de se faire tuer…

— Qui aurait pu prédire que nous nous entretuerions ? » demanda Haris. Il ne savait que faire de ses mains et se gratta l'avant-bras avec un éclat de pierre. Puis il enfonça ses mains dans ses poches.

Le commandant toisa Haris de haut en bas. « Comment ça se fait que tes poches soient si bombées ? Vide-les ! »

Le faut-il vraiment ? se demanda Haris. Je pense que c'est comme ça que le système militaire fonctionne : obéissance, absence de résistance, presque comme le Tao. Il vida ses poches, et le talkie-walkie tomba dans l'herbe.

« À qui est-ce que tu as besoin de parler ? demanda le commandant.

— À personne ! »

Le sergent prit la parole, expulsant des postillons verdâtres à travers ses dents jaunes.

« Je l'ai entendu parler tout seul. Il était en train de nous balancer. Il se cachait dans un fourré !

— Vous sautez trop vite aux conclusions. J'ai trouvé le talkie-walkie ici, dans le camp, et je l'ai bien sûr ramassé. Vous n'en auriez pas fait autant ?

— Et à qui parlais-tu sous les arbres, reprit le sergent.

— Oh, je récitais simplement des mantras de yoga.

— Des matelas ? » Le commandant se peignait la barbe de ses longs doigts. « Tu veux dire que tu dormais sous les arbres ?

— Non, pas des matelas, des mantras, vous savez, des incantations hindoues et bouddhistes, des petites prières. »

Ils furent assourdis par le rugissement d'un chasseur Phantom qui les survola à basse altitude.

« Salauds de riches, hurla Hasan, larguez vos bombes ou rentrez chez vous !

— Voyons voir avec qui il communique. » Le commandant actionna le talkie-walkie et parla : « Hé, mec, où est-ce que tu es ? Over.

— T'as une drôle de voix. T'as bu ? Over.

— J'adorerais. Et toi ? T'as de la bière ?

— Non, juste plein de putes, de l'alcool de prune et du vin blanc.

— OK, on fait un échange, j'ai ici beaucoup de whiskey que nous ont laissé les guignols de l'ONU. De la gnôle de guignols ! Vous êtes où, là ?

— Où crois-tu qu'on est ? Over.

— Oh, bien sûr. Je m'arrêterai demain. »

Le commandant coupa la communication.

« Alors, c'est ton contact ? Tu les as avertis et maintenant ils sont partout dans la vallée, en train de réunir des renforts pour se lancer à nous trousses. Je pense qu'il est temps de se tailler.

— Pourquoi partir ? observa le sergent. C'est vraiment une bonne position stratégique. »

Ils ne marchèrent pas bien loin, à deux cents mètres du camp tout au plus, là où reposaient la plupart de leurs morts.

Deux soldats attachèrent Haris à un arbre. « Convaincs-moi que tu ne nous a pas vendus, dit le commandant. Trouve quelque chose, une bonne histoire. Tu as une heure. Si l'histoire n'est pas terrible, on t'enterrera vivant avec tous les morts dont tu portes la responsabilité. »

La moitié de la compagnie au moins avait survécu. Les hommes sortaient petit à petit de la forêt, de derrière les rochers, et aidaient ceux qui creusaient, quelques-uns se prodiguaient des soins, et d'autres veillaient un homme qui se mourait de plusieurs coups de couteau tandis que d'autres encore montaient la garde.

Ils se servirent de pelles prises dans les tranchées serbes, luttant pour entamer cette terre caillouteuse, creusant sous les pins et les cèdres. Haris sentit la fumée des étincelles que produisait tout ce métal frappant le roc. Les soldats trouvèrent des montres-bracelets et des portefeuilles, qu'ils vidèrent de leurs marks allemands ; ils récoltèrent du tabac et des cigarettes. Ils placèrent quatre corps dans chaque trou. Plusieurs hommes jetaient à Haris des regards noirs, et, à un moment, lui lancèrent des cailloux encore couverts de terre. Une pierre lui toucha les côtes. Chaque fois qu'il passait devant Haris, Mirzo lui crachait au visage. Le sergent le gifla au-dessus de l'oreille, pile à l'endroit où la pierre l'avait assommé, faisant apparaître devant ses yeux des éclairs de lumière verte, comme des aurores boréales tamisées à travers les feuilles, et sa vision chancela. Incapable de garder la tête droite, il la laissa tomber, le menton reposant sur le sternum. La corde lui entaillait les poignets.

Pendant ce temps, des hommes priaient et lisaient le Coran. Plusieurs d'entre eux gémissaient, d'autres sanglotaient en silence, d'autres encore faisaient les cent pas, l'air renfrogné. Un homme, ayant apparemment perdu la tête, poussait de temps en temps des hurlements de rire, jusqu'à ce que Hasan ne lui mette le nez en sang. Il se contenta dès lors de geindre et de renifler.

Les enterrements furent empreints d'une sombre dignité.

La mise en terre de la moitié de la compagnie était à la fois une tragédie et un triomphe en soi. La compagnie contrôlait désormais la crête de la montagne et les routes de la vallée donnant accès à la rivière. Tous s'attendaient à ce qu'il y ait des pertes et, même si elles résultaient de tirs amis, cela n'enlevait rien au fait qu'ils dominaient cette montagne d'où ils pouvaient bombarder les terres basses et un tas de routes.

Attachées aux branches hautes, mal irriguées, les mains d'Haris picotaient. Son pantalon l'irritait, surtout là ou il transpirait, autour de l'aine, et plus il se sentait impuissant à faire quoi que ce soit pour se soulager, plus ça le démangeait, et il pensa qu'il donnerait bien un doigt ou deux pour pouvoir gratter furieusement ces foutus picotements. Comme tout cela est loin de la méditation, pensa-t-il. S'il avait médité comme il se doit, il aurait été en mesure de mieux se contrôler ; il aurait pu flâner sur le champ de bataille, invisible, intangible, et s'il avait malgré tout été abattu, il aurait eu le bon sens de mourir plutôt que de revenir à la vie avec une commotion cérébrale et de subir cette étrange résurrection avec crucifixion. Pour alléger sa mauvaise conscience, il se souvint de ces versets : « Tous les phénomènes qui se manifestent à nous naissent dans notre cœur et dans notre esprit ; ils sont dirigés par le cœur et l'esprit, ils sont fabriqués par le cœur et l'esprit. Si nous parlons ou agissons avec un cœur et un esprit obscurcis, la souffrance s'ensuivra aussi sûrement que la roue du chariot suit la trace des sabots du bœuf qui le tire. » Il ne put se souvenir d'aucune pensée qu'il aurait eue en ayant l'esprit obscurci, mais fut certain que ça lui était déjà arrivé. Il pensa de nouveau à ces mots, et la roue du chariot qui suit la trace des sabots du bœuf ne cessa plus de tourner et de tourner encore – vers le bœuf. Et le bœuf, lui, quelle pensée obscure, mauvaise, pouvait-il avoir eue ? Finir rôti sur une broche ? Il lécha ses lèvres craquelées et sa gorge desséchée lui fit mal.

Le redoutable commandant revint vers lui. « Hé, es-tu orthodoxe, catholique, musulman ?

— Je suis bouddhiste.

— Elle est bien bonne. » L'officier sourit à la manière de quelqu'un qui vient d'entendre un blague sympa, mais pas vraiment rigolote.

« Dans quelle religion as-tu été élevé ?

— J'ai été élevé comme un athée, bien sûr. Pas vous ?

— Quelle était la religion de tes parents ?

— Ils étaient musulmans, mais n'ont jamais mis les pieds à la mosquée.

— Alors tu es musulman.

— Non, je vous l'ai dit, je suis bouddhiste.

— Tu craches du feu, tu marches sur des clous et tu te mets le pied derrière la tête, ou tous ces trucs qu'ils font ?

— Je ne parle pas de religion, mais de nation.

— Sans blague !

— Je peux avoir un verre d'eau ? Je meurs de soif !

— Il y a une nation bouddhiste, ici ?

— On peut être musulman ou chrétien n'importe où, pourquoi pas bouddhiste ?

— Tu te moques des musulmans qui forment une nation dans notre pays ? Je vois, il y a un Serbe qui sommeille en toi. C'est ce qu'ils aiment faire, sommeiller dans l'esprit des gens, rôder.

— Est-ce que je ne suis pas libre de choisir ma religion et ma nation ?

— Personne n'a ce choix ! C'est le destin. Et comment foutre pourrais-tu devenir quelque chose d'aussi bizarre ?

— Ce n'est pas que j'aime être bouddhiste, mais j'ai lu ces absurdités étant jeune et c'est comme ça que je pense et que je suis qui je suis.

— Si t'aimes pas ça, change, deviens un bon musulman.

— Je ne peux pas. Vous avez dit qu'on ne pouvait pas changer.

— Mais c'est ce que tu as fait ; arrête ton cinéma. Je ne trouve pas ton histoire très convaincante.

— Ça ne me dérangerait pas de changer, mais je suis devenu bouddhiste dans mon jeune âge, fin de l'adolescence, début vingtaine, les années les plus philosophiques de notre vie. Souvenez-vous dans les années 1960, on trouvait partout à Sarajevo des livres sur la guérison par les plantes, la méditation, le bouddhisme, l'hindouisme, le voyage astral, et ainsi de suite. Tous ces trucs nous venaient de Belgrade. Ils planifiaient déjà de détourner notre attention, de nous faire rêver, discuter dans les cafés toutes les nuits jusqu'à l'aube, pendant qu'ils fréquentaient les écoles militaires et étudiaient l'ingénierie, ou pendant qu'ils commençaient à faire de la contrebande de produits importés d'Italie ou à joindre les rangs de la mafia. Vous pensez qu'ils lisaient ces trucs, à Belgrade ? Jamais de la vie !

— T'es dingue !

— Vous pensez que je suis fou ? Vous avez une meilleure explication pour ce qui est en train de se passer ?

— Là, tu marques un point, mais ça ne veut pas dire qu'il faut croire n'importe quoi. Et dénoncer la conspiration serbe ne veut pas dire que tu ne travailles pas pour eux. »

Le sergent alluma une cigarette et se mit à recréer son nuage bleu, mais le commandant l'arrêta. « On ne fume pas !

— Qu'y a-t-il de mal à fumer ? Le Coran ne dit rien contre.

— L'arbre pourrait prendre feu.

— Avec ce temps ? Et si ça arrivait, ce serait un bon moyen de régler son compte à ce démon.

— Quel que soit le temps qu'il fait, regarde la résine suinter de l'écorce. Ça s'enflamme comme de l'essence. Et de toute façon, on ne réplique pas à un supérieur. »

Le sergent souffla un trait bleu et écrasa sa cigarette sous sa botte.

« Bien, c'était super, mais tu as épuisé le temps qu'on t'avait accordé. » Le commandant caressa la barbe blanche de ses joues. « Tu aurais pu nous convaincre que tu ne nous a pas trahis. Bien, essaie de le faire en cinq ou six phrases.

— Pourquoi devrais-je vous convaincre de quoi que ce soit ? Si c'est ce que vous croyez, allez-y, croyez.

— Quel dommage ! Maintenant que tu nous as parlé de ton étrange religion, je vois bien que tu es tout à fait capable de te montrer parfaitement imprévisible. Par conséquent, je pense que tu nous as trahis.

— Sergent, qu'en pensez-vous ?

— D'accord avec vous ! »

Le commandant interpella Hasan, qui se tenait à deux pas, les bras croisés. L'œil au beurre noir encore plus gonflé, et fermé.

« Et toi, soldat, qu'en penses-tu ?

— Je n'en ai aucune idée.

— Mais tu l'as entendu parler en cachette sous les arbres ? demanda le sergent.

— Oui, je l'ai entendu, mais je ne sais pas s'il disait quelque chose.

— Bien, tu vois, mon ami, le jury est unanime, dit le commandant. Le procès est terminé.

— Ce n'est pas un procès, mais un ramassis d'âneries, protesta Haris.

— Ne contredis pas ton supérieur, intervint le sergent.

— Même pas quand ma…

— Quand ta vie est en jeu, c'est ça oui, confirma le commandant. Le procès est terminé. Le débat est clos. Mirzo, Hasan, tuez-le.

— Comment peut-on exécuter l'un des nôtres ? Je pense que nous avons fait assez en tuant la moitié de notre compagnie, et vous voulez qu'on continue ?

— Tu n'as pas tort, admit le commandant. Mais c'est justement pour ça que nous devons l'abattre. Il a causé trop de souffrances.

— Je pense qu'il vaudrait mieux, en vertu de nos lois, lui couper la langue, suggéra le sergent. C'est l'organe par lequel il a fauté. Coupons-la-lui et finissons-en.

— L'idée ne me déplaît pas, mais non. Si vous lui coupez la langue, il se videra de son sang. Il vous faudra trouver un moyen de stopper l'hémorragie pour que votre sentence garde tout son sens. De plus, s'il survit, il voudra se venger, et je ne lui fais pas confiance avec toutes ces armes autour de nous. Fusillez-le.

— Je ne peux pas, désolé, s'excusa Hasan. Je ne suis plus sûr qu'il l'ait fait. Et c'est un de mes amis. J'admets qu'il est bizarre, mais ne le sommes-nous pas tous ? Il serait même bizarre de n'être pas bizarre.

— Ne joue pas les mauviettes avec moi, soldat, l'avertit le comandant. Mais si tu ne veux pas le faire, il y a assez d'hommes en colère pour s'en charger. Sergent, allez m'en chercher trois ou quatre. »

Puis, se tournant vers Haris : « As-tu des dernières volontés ?

— Oui, détachez-moi les mains pour que je puisse me gratter les couilles.

— Tu es sérieux ?

— Oui, et vous, l'êtes-vous ? Tout ceci est absurde ! Je suis accusé de trahison simplement parce que j'ai prié seul dans mon coin ?

— Tu n'as pas prié nos dieux, mais des dieux étrangers, ce qui est une trahison en soi. Et ce que tu faisais avec le talkie-walkie est très clair. On ne va pas recommencer avec tout ça, tu nous as fait perdre assez de temps.

— Pouvez-vous s'il vous plaît me détacher les bras ? Ces démangeaisons me tuent.

— D'accord », acquiesça l'officier. Mais il ne bougea pas.

Le sergent revint avec trois hommes. Le commandant leur donna l'ordre de tirer, un dans la tête, un dans le cou, un dans la poitrine. Les hommes se placèrent à une vingtaine de pas et levèrent leur fusil.

Haris ne fut pas pris de terreur. Les peurs s'étaient apaisées, et l'injustice de l'accusation, l'absurdité de tout cela le calmèrent. Il voulait garder la tête haute, regarder droit dans les yeux les hommes capables de faire cela, mais n'importe qui pouvait faire n'importe quoi, et il n'y avait rien là d'extraordinaire. Il prit une profonde inspiration, une douleur lui vrilla la poitrine, son crâne élança et ses oreilles bourdonnèrent. Pourquoi ne tiraient-ils pas ? La douleur dans sa tête s'exacerba, comme si une chute d'eau tombant du haut d'une montagne se fracassait juste à côté de ses oreilles.

Puis un déluge de coups de feu éclata dont il fut incapable de déterminer s'il venait de loin ou des hommes censés le fusiller. Il ferma les yeux et se vit glisser hors de la corde sur laquelle la peau de ses mains se déchira. Il vit son corps sur le sol et eut l'impression que ses yeux en étaient détachés, qu'ils flottaient quelque part au-dessus, dans l'arbre, comme des yeux de chouette, et qu'ils regardaient le sang jaillir de sa tempe droite. Il entendit des cris et des rires d'hommes. C'est donc ce qui se passe quand on meurt, vos yeux flottent, et personne ne peut les voir alors qu'ils peuvent voir tout et tous, et à ce moment-là, il pensa qu'il pourrait même voir dans la vallée, d'où montait une fumée aux odeurs de charbon. Ou peut-être cette odeur émanait-elle des profondeurs du temps, de son enfance, quand vapeurs et fumées saturaient l'air de son village non loin de Sarajevo, de magnifiques odeurs de charbon et d'huiles lourdes, des promesses de voyages éreintants vers les rivages d'où provenaient les fruits exotiques, comme le kiwi, qu'il n'avait jamais goûté, mais dont il avait tant rêvé. Un fruit que son pays importerait peut-être si cette guerre prenait fin, et dont il laisserait les petites graines fondre sur sa langue. Ou peut-être cette fumée provenait-elle des fusils et de l'huile répandue sur le tank serbe tout rouillé qui gisait en contrebas. Il était sûr de se trouver dans un état proche de la mort, et cette idée le réconforta, mais, surtout, il eut la sensation surprenante de prendre une autre inspiration, vide, pleine d'être et de néant purifiés, peut-être le vide de l'univers, une paix au-delà des chagrins de l'existence et de la mort.

Il aimait ce sentiment grandiose de se sentir dépouillé de toute vie, mais ce sentiment se buta à des événements très terre-à-terre. Il entendit un cri dans la bouche d'Hasan : « Arrêtez, les gars, arrêtez, pour l'amour de Dieu. Ne tirez pas. Regardez ce que je viens de trouver ! »

Les soldats baissèrent leurs armes et se retournèrent.

« Que se passe-t-il ? » demanda le commandant.

Hasan brandit un livre noir à la tranche rouge. « J'ai trouvé un Nouveau Testament en cyrillique sur le corps d'un des éclaireurs. Et regardez, sa carte d'identité indique qu'il ne s'appelle pas Esad, mais Jovan. Un Serbe sous une fausse identité. Il nous a trahis !

— Et alors, être serbe ne veut rien dire, objecta le commandant. Marko est serbe, et c'est l'un de nos meilleurs soldats.

— Le soldat n'a pas tort, riposta le sergent. Qui selon vous est le plus susceptible de nous avoir trahis, l'autre farfelu ou ce type qui nous a juré que les Serbes n'avaient pas pris la peine de poster la moindre sentinelle ?

— Quelqu'un doit être puni. L'autre étant déjà mort, on ne peut pas le faire payer. Messieurs, alignez-vous et tirez ! Qu'est-ce que… »

Des coups de feu retentirent de partout. Avant même que quiconque puisse déterminer ce que ces tirs signifiaient ou ait le temps de se cacher, les balles d'un sniper transpercèrent le crâne de nos trois exécuteurs en puissance, qui s'effondrèrent.

Quelques-uns des survivants s'écrasèrent au sol et tentèrent de trouver refuge derrière des rochers, d'autres couraient en désordre vers l'ancien camp serbe ou dans les bruyères, mais des salves de grenades et de mitrailleuses forcèrent bon nombre d'entre eux à se replier vers leur position initiale.

Haris observait tout cela de sa posture suspendue, les poignets en sang. Il ne craignait pas tout ce tapage, pas plus qu'il ne craignait d'être touché. Il trouvait cocasse de constater que, là où la méditation avait échoué, une commotion cérébrale, une séance de torture et la menace d'être fusillé avaient réussi à lui apporter une sérénité et une tranquillité d'esprit absolues. Mais le dalaï-lama lui-même n'avait-il pas subi toutes sortes de sévices ? Comment le dalaï-lama se comporterait-il dans la même situation ? Atteindrait-il ainsi le nirvana ?

Les Serbes tenaient une trentaine de musulmans à la pointe de leurs fusils. Environ trois cents soldats serbes occupaient le camp. Ils ramassèrent les armes des musulmans et en firent un tas qui les fit ressembler à une couronne de brindilles destinées à un feu de joie.

« Où sont vos moudjahiddines ? » demanda le commandant serbe, un homme rasé de frais dont les joues étaient toutes roses et enflammées par ce triomphe. « Comment, pas d'Afghans ? »

Il jeta un coup d'œil autour de lui et son regard se posa sur Haris.

« Et qui torturez-vous ici ? Nous avons vu que vous étiez sur le point de l'exécuter.

— Un traître, répondit Mirzo. Il vous renseignait sur notre position.

— Oh, vraiment ? » Le capitaine serbe se dirigea vers Haris. « T'es-tu vraiment livré aux nobles actions dont on t'honore ?

— Non, dit Haris.

— Tu n'es plus à leur merci, mon frère ! Parle librement. »

Il baisa Haris sur le front. « Tu es dans un sale état. Prends une gorgée ! » Il souleva une bouteille de Johnnie Walker Red Label et versa, et Haris, qui n'avait presque pas bu d'eau de toute la journée, avala goulûment.

« Voilà ! On reconnaît toujours un homme de bien à son bon coup de coude ! »

L'officier libéra les mains d'Haris en coupant les cordes à l'aide d'un couteau pareil à une dague et dont la lame étincelait. Aussitôt détaché, Haris s'affala. Il ne parvint pas à bouger les bras pour protéger son visage, qui frappa le sol mouillé. Il crut qu'il allait perdre connaissance, ne plus jamais se réveiller, se reposer enfin à l'infini, mais ne s'évanouit pas. Il respira par le nez, oubliant que celui-ci était planté dans le sol, et inhala de la terre ; une partie resta coincée dans sa gorge, l'autre fila dans sa trachée. Il roula sur lui-même et toussa, et chaque quinte ébranlait son cerveau.

« Oh, mon frère, se désola le capitaine serbe. On va leur faire payer ça ! »

Il souleva Haris et lui fit boire de l'eau à même sa gourde d'aluminium. Haris se rinça la bouche, cracha, puis but. Son nez et sa vision étaient enfin nettoyés. Il fut frappé de voir à quel point le reste de sa compagnie avait l'air pitoyable. Il sentit des réminiscences d'anciennes victoires, comme quand il chevauchait la crosse de son fusil dont il enfonçait la baïonnette dans les côtes d'un homme – la victoire aux dépens de la survie de l'ennemi. Toute l'illumination qu'il avait vécue attaché à son arbre semblait se déliter comme un nuage du matin, et il n'en restait que des détails insignifiants, l'espacement entre les dents brunes des hommes et les bouteilles de coca-cola en plastique sur le sol, et avec ces détails lui revenaient à l'esprit de vieilles passions. « Je vois tes yeux briller, dit le capitaine. Aimerais-tu les abattre ? Je ne t'en empêcherai pas. Je te donne un fusil-mitrailleur, et tu peux tous les descendre. On va les attacher les uns aux autres, il te suffira de tirer quelques rafales pour les tuer jusqu'au dernier. L'idée te plaît ? »

Haris ne répondit pas. Tout cela avait bien sûr l'air terrifiant. S'il refusait de le faire, serait-il lui-même exécuté ? S'il déclinait l'invitation au massacre, quelqu'un d'autre s'en chargerait-il ? Ces hommes n'étaient-ils pas fichus, quoi qu'il fasse ? Et quelle est la différence entre la mort et la vie ? Plus il y pensait, plus il était tenté d'accepter l'offre de tirer, mais ce verset du Dhammapada lui revint et détourna le cours de ses pensées :

Comme un poisson
Tiré hors de l'eau et jeté par terre,
Cet esprit s'agite et se débat
Pour échapper à l'emprise de Māra [*la tentatrice*].

D'accord, mes pensées, tremblez, continuez à trembler. Trembler peut être bon, ça peut sauver des vies.

« Oh, cria le capitaine, ils s'apprêtaient à te trouer comme du gruyère, et tu hésites ?

— À dire vrai, je n'ai envie de tirer sur personne.

— Mais tu vas aimer ça, je te l'assure.

— Ce n'est pas l'un des vôtres, hurla le sergent de la compagnie musulmane. C'est moi qui vous ai appelés. Ne me tuez pas !

— Nenad, demanda le capitaine serbe à un de ses soldats aux joues rouges, est-ce que c'est lui, ton contact radio ?

— Alors, c'est à ça que tu ressembles, tonna joues-rouges. Stevo, je te croyais mort ! La liaison a été coupée, puis un drôle de type m'a parlé. J'étais sûr qu'ils t'avaient tué ! C'est bon de te voir, mon pote !

— Tu es notre héros ! s'exclama le capitaine serbe. Viens, mon frère, joins-toi à la fête ! »

Haris se demanda ce que cela signifiait pour lui. Les Serbes allaient-ils maintenant l'abattre ? Sa respiration s'accéléra. Après tout, il avait aimé l'idée d'être épargné, de survivre, peu importe ce qu'il avait pensé ou conclu d'un point de vue philosophique. S'il n'avait pas philosophé, il aurait déjà tué le sergent et serait libre de vivre.

Le capitaine offrit au sergent de boire à sa gourde, qui était presque vide. Très vite, le sergent se mêla aux soldats serbes, les étreignant et riant trop fort, tandis qu'Haris se tenait près du capitaine, le regard perdu dans le vide.

« Maintenant, dis-moi, pourquoi te torturaient-ils ? Qu'as-tu fait de bon, après tout ? lui demanda le capitaine.

— Bouddhisme.

— Elle est bien bonne ! Mais c'est vrai que tu as l'air émacié d'un de ces moines... Prends une autre gorgée. »

Haris avala une bonne lampée d'invasion écossaise. Sa vision s'assombrit légèrement, comme si l'alcool avait fait baisser l'éclairage dans son cerveau ; la douleur lui vrilla la tempe et il tressaillit.

« Bouddhisme, hein ? Tu sais que j'ai déjà été bouddhiste ? Pendant toute une semaine.

— Trahison, également.

— Je vois. Tu n'as pas communiqué avec nous, tu n'as rien fait. Fanatiques religieux. Foutus fondamentalistes. Il faudrait tous les liquider. Je te le dis. Sinon, comment allons-nous réussir à nous entendre ? Je veux dire, je comprendrais s'ils avaient torturé le bon gars, mais toi ? Mitraille-les ! Je t'aiderai. »

Je dois résister, se dit Haris qui, accablé, resta prostré sur le sol, et le sol lui semblait bon et accueillant, et il pouvait à peine ouvrir les yeux.

« Tu sais, lui confia le capitaine, il y a une chose que j'appréciais du bouddhisme. Le calme. »

Hasan cria. « Ne le fais pas, mon frère. J'ai essayé de te sauver ! »

Un soldat s'agenouilla à côté d'Haris et remplit le chargeur de lourdes balles.

Plusieurs voix lui parvinrent, à la fois l'implorant et le maudissant. Haris regarda dans le viseur, tenant en joue ses anciens compagnons. La cible et les camarades tremblaient, tressautaient et oscillaient comme de sombres silhouettes. Il cligna des yeux et, quand il les rouvrit, il ne vit rien. Il les ferma et les ouvrit de nouveau, mais ne perçut autour de lui que l'obscurité. Tout autour de lui, les voix se firent plus fortes, plus stridentes. Quelque part, au loin, il entendit un fracas de tonnerre et, pendant quelques secondes, il se demanda si ces détonations sortaient de sa mitrailleuse, alors il se pencha et toucha le canon. Il était froid, d'une froideur réconfortante qui fit l'effet d'un baume sur ses poignets ensanglantés.

Une histoire en pourpre

Ranko devait terminer un travail d'éditique avant de recevoir un ami dans l'après-midi, mais il somnolait devant son ordinateur. Il attribua cette apathie à un petit rhume qu'il traînait depuis un ou deux mois ; même durant la visite, il ne cessa de bâiller.

« Allons à la montagne cueillir des champignons, proposa Mladen, un homme bien rasé aux joues luisantes. J'adorerais escalader le Sljeme et apercevoir les villages aux toits rouges de l'autre côté de la montagne, comme on le faisait avant.

— C'est comme ça que je me sentais quand j'avais quarante ans… toujours prêt à aller crapahuter dans la montagne, répondit Ranko à son ami venu d'Autriche lui rendre visite.

— Pourquoi est-ce que ce serait différent à quarante-cinq ? C'est tout de même pas comme la limite de vitesse en ville, un truc à ne pas dépasser, non ?

— Tu verras comment tu te sentiras quand tu auras mon âge. On a beaucoup moins d'énergie.

— C'est comme ça qu'il parle ces derniers temps », dit Lana, la femme de Ranko, assise sur un tapis turc, le menton posé sur les genoux de telle manière, observa

Ranko, que l'on pouvait voir ses cuisses. « La guerre l'a changé, continua-t-elle. Il s'était planqué pour échapper à la conscription et filait constamment au sous-sol, où il passait son temps à lire quand il pensait que la police militaire allait venir. Vivre caché et sans lumière a fini par le déprimer.

— Tu n'y es pas du tout! C'est juste une question d'âge. » Ranko se caressa l'estomac et fit siffler l'air entre ses dents remarquablement blanches dans sa barbe noire; sa chevelure était encore fournie, mais presque blanche. Le contraste entre le noir et le blanc aurait été saisissant si ses grands yeux noisette n'avaient été là pour réconcilier le lumineux et l'obscur. « Ton père jouait-il au football dans le milieu de la quarantaine? demanda-t-il à Lana.

— Non, mais il avait fait sa guerre à lui. Il était toujours malade.

— Très bien, dit Mladen, je dois aller voir ma belle-famille, mais j'espère revenir pour le Nouvel An – peut-être le froid te revigorera-t-il suffisamment pour aller skier. Ça te plairait?

— Boire quelques bières me semble plus réaliste, répliqua Ranko.

— Il fait semblant de boire. Même ça, il ne le fait pas », dit Lana.

« Tu l'as quasiment fichu dehors avec ta morosité, lui reprocha Lana une fois que Mladen fut parti. Je pensais que tu aimais tes amis; tu parles constamment d'eux et, une fois qu'ils sont là, tu veux juste qu'ils s'en aillent. »

Elle se leva et se changea devant lui, troquant sa jupe bleue mi-longue pour une mini-jupe en velours pourpre. Bien qu'elle eût dépassé la quarantaine, elle avait le même visage que cette nuit-là, vingt-cinq ans plus tôt, quand ils étaient allés se baigner nus dans l'étang. Leurs pieds s'enfonçaient dans la vase tiède qui s'infiltrait entre leurs orteils, et de vagues petites choses toutes douces les chatouillaient en effleurant leurs jambes. Il ne savait pas si c'étaient des herbes ou des poissons-chats qui le touchaient. L'eau glissait sur les courbes de Lana dans la lueur d'un croissant de lune. Même maintenant, alors qu'elle émergeait de sa jupe, elle faisait onduler ses hanches comme une sirène. Avant, la voir ainsi l'aurait excité, mais il ne la considérait plus désormais que d'un point de vue esthétique, se complaisant dans ses souvenirs.

Une fois Lana partie donner son cours de géographie à l'école secondaire du quartier, il enfila son manteau d'hiver, bien que la journée fût chaude. Il chercha son souffle tout le temps qu'il marcha vers l'épicerie, à quelques centaines de mètres de chez lui. Au rayon des soupes en boîte et des bocaux de sauce à spaghetti, il dut prendre appui sur son chariot. Ses oreilles bourdonnaient, sa vision se brouillait, son cœur avait d'étranges soubresauts, ce qui lui donnait une sensation de vide, comme s'il n'y avait plus de sang dans les cavités – la sensation de quelque chose qui tombait, créant un vide dans sa cage thoracique. Est-ce que je fais une crise d'angoisse ? Est-ce que j'ai peur de parler avec mes amis ? Au diable toute cette introspection, je vais leur acheter de la bière blanche et les faire boire comme des cochons.

Il tendit le bras gauche pour saisir une bouteille marron d'un demi-litre et son poing se mit à picoter, comme si des fourmis lui rampaient sous la peau.

Lorsqu'il leva le pied pour enjamber le seuil boueux du magasin, il lui sembla qu'il trébuchait. Dans sa lente chute, avant de toucher le sol de pierre lustré aux motifs de léopard, la couleur de tout ce qui l'entourait explosa en taches rouges. Suis-je en train de mourir ? Est-ce que ça y est ?

Il se réveilla dans une chambre blanche baignée d'un soleil agressif. Sa tête était branchée à des machines électriques grises. L'une d'elles émettait des bips. Son bras gauche fourmillait comme s'il s'était cogné le nerf du coude.

Une tête comme une pizza, ronde et couverte de taches de rousseur, flottait au-dessus de lui, comme une lune au-dessus des nuages. Qu'est-ce que c'est ? pensa-t-il. Un ballon, un cerf-volant ? Oh, une infirmière ! Il n'était pas sûr de bien voir : quelqu'un pouvait-il vraiment avoir une face aussi ronde et rouge-orangé ? Et il eut peur, non pas d'elle, mais de son propre esprit.

La tête de Lana apparut aussi. Son visage allongé était blanc tirant sur le vert, les yeux gonflés et rougis, le nez encore plus pointu qu'avant. Elle mit les doigts devant ses lèvres fines et souffla : « Chut ! » Elle l'embrassa sur le front comme pour vérifier sa température, ou peut-être pour exprimer son amour, mais alors pourquoi pas sur les lèvres ? Enfin, il s'agissait d'un d'amour différent, désormais : pas un amour entre égaux, qui s'exprime par les lèvres, d'égal à égal, mais paternel, ou maternel, qui vient d'en haut et s'abaisse vers le front, le premier endroit qui se trouve à la portée des lèvres.

Alors qu'il la fixait du regard, elle se dématérialisa sous forme de brume, de strato-cumulus, qui s'éleva, toujours plus haut. D'habitude, il cherchait des visages dans les nuages, mais là, il voyait des nuages à la place des visages.

Il se réveilla de nouveau dans la lumière éblouissante du soleil qui se reflétait sur les fenêtres, les parquets cirés et les peintures sous verre de champs de pavots. Lana lui dit qu'il s'était assoupi, que c'était merveilleux de le voir réveillé. Il voulut lui demander ce qui lui était arrivé, et elle, comme si elle avait entendu cette phrase qu'il n'avait pas prononcée, lui apprit que, selon toute vraisemblance, il avait eu une crise cardiaque.

Quel hôpital est-ce ? Il bougea les lèvres, mais ne fut pas sûr qu'il en sortît un son. Il entendit des hurlements dans les chambres voisines. En fait, qu'importe l'hôpital, il était certainement sous-équipé. Après la guerre, ces établissements ne s'étaient pas dotés des nouvelles technologies. De nombreux docteurs avaient émigré. Et, comme il était serbe, que pouvait-il espérer ? Cela avait-il de l'importance ? Les médecins devineraient-ils à son seul nom qu'il était serbe ? Bien sûr, ils savent tout, pensa-t-il – ou pire, ils ne savent presque rien, sauf sa nationalité.

Le lendemain, un de ses amis d'enfance qui avait fait médecine vint le voir. « Ils disent que c'est une crise cardiaque. Ont-ils examiné ton cœur ?

— Je ne pense pas », parvint-il à balbutier.

Le médecin écouta son cœur. « Tu as besoin d'un EEG. Je pense que tu as fait un infarctus majeur. »

Sans plus de cérémonie, il injecta à Ranko une dose d'adrénaline, insérant l'aiguille entre ses côtes, vers le cœur, et donna l'ordre de transférer le patient dans le service de cardiologie où un collègue en qui il avait toute confiance prendrait la relève. Bien qu'on manquât de place, l'ami lui trouva un lit.

Ranko s'allongea sur une table, et un grand tube, semblable à une capsule spatiale, coulissa au-dessus de lui jusqu'au menton, avalant son corps. Le tube lui tourna autour, pour faire une scintigraphie. « Regardez ça, lui dit le Dr Kraljevic, un homme à la barbe blanche. La majeure partie de votre cœur est dans l'ombre, pas de lumière, ça veut dire que les artères ne marchent pas, que le sang n'y circule pas. Elles fonctionnent à seulement vingt pour cent. » Il parlait avec fascination, comme s'il était heureux d'assister à un miracle. Ranko regarda avec horreur la partie illuminée de son cœur.

Après plusieurs tests sanguins, le chirurgien lui demanda : « Monsieur, avez-vous eu une infection ? Une pneumonie, peut-être ?

— Quelque chose de moins grave que ça, pendant quelques mois.

— Avez-vous pris des antibiotiques ?

— Pas depuis dix ans.

— Si votre cœur a subi une invasion bactérienne, quelques jours d'antibiotiques auraient suffi à sauver votre muscle cardiaque. Dommage que vous ne soyez pas venu plus tôt. D'un autre côté, qui sait si ces imbéciles auraient posé le bon diagnostic, quand on voit qu'ils ne sont pas foutus de reconnaître un infarctus. »

Ranko pouvait à peine bouger. S'il s'asseyait, il était essoufflé. S'il se levait, des picotements troublaient sa vision. Le Dr Kraljevic établit qu'il fallait à Ranko une transplantation cardiaque.

Quelques jours plus tard, on lui permit de rentrer chez lui. Lana le serra dans ses bras, doucement, comme si elle craignait qu'il s'effrite sous la pression. Elle lui administrait ses pilules avec régularité, vingt par jour. Elle faisait jouer ses disques préférés sur un vieux phonographe doté d'une pointe de diamant : les concertos pour piano de Mozart et les *Variations Goldberg* de Bach. « Cette musique devrait faire du bien à ton cœur, dit-elle. Si elle est bonne pour l'esprit, elle est peut-être encore meilleure pour le cœur. Écoute comme le rythme est régulier. »

La musique l'emplissait d'une sensation de beauté qui lui partait des oreilles et baignait même ses os ; il l'imaginait pénétrant ses pores, ses capillaires, et nageant à contre-courant dans son sang, sans effort. Elle était sans substance, tel un esprit, intouchée par les vagues de plasma chargé de fer sanguin, ou peut-être excitant le fer, le magnétisant de sorte que chaque particule de métal captait, comme une antenne, les harmonies des sphères célestes encodées et captives dans les *Variations Goldberg.* Même s'il avait été sourd, son corps aurait entendu, et la musique se serait harmonisée avec ce qui lui restait de cœur.

Dans la salle de bains, alors qu'il émettait un faible jet, il se regarda dans le miroir : il avait l'air d'un poulet écorché. Ses cheveux étaient coupés court et agglutinés en mèches ternes, grasses et chétives. Ils n'étaient plus d'un gris brillant, mais blafard, comme la fumée s'échappant d'un feu maigrichon. Il était manifestement diminué, et la noirceur de son cœur avait éteint l'être lumineux d'autrefois. Il avait été un de ces hommes qui resplendissent, avec une peau lisse qui ne se contente pas de réfléchir la lumière, mais qui rayonne, et avec de grands yeux qui brillent. Il était conscient de cette lumière qu'il dégageait, on lui en avait fait mention à maintes reprises. Mais là, pas de doute, sa présence consumait la lumière partout où il passait. Il se demanda ce que ressentait Lana à vivre auprès de lui.

Lana avait trouvé sa passivité déprimante même pendant la guerre. « Sortons, disait-elle. Allons au concert. Alfred Brendel interprète les sonates de Beethoven. Tu savais qu'il a étudié à Zagreb dans sa jeunesse et que c'est en quelque sorte un retour au pays ? » N'obtenant pas de réponse, elle y était allée seule puis, en d'autres occasions, avec ses amis, des femmes d'abord, puis, plus tard, comme elle était égalitariste, des hommes. Non, il n'était pas jaloux. Ranko avait toujours été du genre à laisser faire. Pourtant, quand elle sortait, les lèvres peintes de vermeil, pour rencontrer ses amis masculins dans des cafés, laissant dans son sillage des fragrances d'orchidées, il était bouleversé de la voir se faire belle pour d'autres. Quand elle rentrait, il avait l'impression que ses lèvres avaient perdu de leur brillant ; il se demandait si leur éclat s'était évaporé, s'il était resté sur des cigarettes ou sur la bordure dorée d'une tasse de porcelaine, ou encore s'il avait visité d'autres lèvres.

Mais maintenant, elle n'avait plus besoin de sortir, plus besoin de se maquiller, et elle restait avec lui. Elle pleurait pour lui, le caressait. C'était presque bon d'être malade.

Dans la tiède chaleur du radiateur, il se délectait de la lumière qui tombait obliquement de la fenêtre. Même un simple rai de lumière rendait la pièce magnifique. Peut-être qu'un rai de lumière dans son cœur suffirait à le faire vivre. Il pensait que le cœur des humains est trop gros, conçu pour offrir le luxe de supporter de grands chagrins. Les chats ont de tout petits cœurs, eux, tout à fait proportionnels à leur corps, et c'est pour cette raison qu'ils se délectent tant de l'éclat du soleil. Peut-être que la diminution de son cœur avait fait de lui un esthète félin capable de ressentir la moindre nuance dans chaque mouvement.

Les amis qui devaient venir pour les vacances de Noël arrivèrent en janvier. Mladen l'embrassa. Mais pas Tomo. « Désolé, dit-il, j'ai peur des microbes.

— Oh, ne t'inquiète pas, répondit Ranko, toute trace de l'infection à l'origine de mon problème a disparu. Je suis totalement désinfecté !

— Excuse-moi, je t'aime beaucoup, mais j'ai un peu peur.

— Ce n'est rien, la calma Ranko. Je comprends. Et puis, Mladen, comment est l'Autriche ?

— Le plus beau pays du monde, enfin, s'il n'y avait pas les Autrichiens !

— Mais regarde-toi, tout mince, tout rose, en pleine santé, ça ne doit pas être si mal !

— Tu sais combien ma femme et moi sommes sociables. Hé bien, en quatre ans, nous ne nous sommes pas fait un seul ami autrichien. Ils ne nous parlent pas. Et tout est strictement réglementé. Tu sais qu'il y a une loi qui interdit de brûler du bois qui n'a pas séché pendant deux ans ?

— Ce n'est pas si insensé que ça en a l'air : le bois vert contient des substances chimiques qui sont très polluantes.

— Peut-être, mais avoir un policier avec un chien qui renifle devant ta maison pour voir quel genre de fumée sort de ta cheminée, ça ne te dérangerait pas, toi ?

— Au moins, tu manges du bon pain. Ils ont un excellent pain noir à Salzbourg.

— Oh, ce pain est très cher. C'est moi qui le cuis, mais on ne me permet pas d'en ramener à la maison. Je ne peux même pas en manger au travail. Ils surveillent mes mains, ma bouche, je te jure.

— Dans ce cas, pourquoi ne reviens-tu pas à Zagreb ?

— Alors que Tudjman est encore en vie ? J'ai pas envie de vivre sous un régime fasciste.

— Quel invité ingrat tu fais, rigola Ranko. Ils t'offrent l'asile, te donnent un travail, un appartement, et tu leur craches toute ta haine. Sérieusement, si j'étais à ta place, je trouverais du plaisir dans tout ça, même la police du bois, la police du pain, j'en verrais tout l'humour et l'ironie... Je te jure. J'adorerais. Enfin, c'est la sagesse du malade. Chérissez chaque chose.

— Ainsi, tu es censé recevoir un nouveau cœur ? demanda Tomo.

— Oui, mais leur système de donneurs fonctionne mal. Un cœur ne vit pas longtemps, alors, en gros, on doit le retirer d'un corps par ailleurs en bonne santé, après un accident de voiture, par exemple. Je suis sur une longue liste d'attente.

— Mais il doit y avoir des cœurs, par ici ! Je pense qu'ils attendent un pot-de-vin, c'est tout. Ces gens ne changeront jamais. Et combien de temps pensent-ils que tu peux vivre sans greffe ?

— Un an, peut-être un peu plus. »

Ses amis réunirent des milliers de marks allemands pour payer le pot-de-vin.

Ranko fut touché par leur sacrifice. « J'ai de bons amis, n'est-ce pas ? dit-il à Lana.

— Bien sûr. Et tu les mérites.

— Et une si bonne épouse aussi ! » Il la serra dans ses bras ; la chaleur de ses cuisses lui donna une érection, mais alors il pensa : Mieux vaut que j'arrête. Dans mon état, le sexe pourrait me tuer.

Il se rassit donc dans le fauteuil, de nouveau mélancolique, et avec littéralement un petit bleu sur le visage, parce que le sang ne parvenait pas à bien l'irriguer.

« Qu'est-ce qui te déprime tout d'un coup ? demanda-t-elle.

— Oh, je suis juste fatigué.

— Mais il y a à peine une seconde, tu étais content !

— Je suis encore content. »

Lana lui prépara une tisane de rosier muscat avec du miel. Pendant qu'il buvait, les deux mains réchauffées par la porcelaine et le visage par la vapeur, il inspira profondément pour la première fois depuis longtemps, et pensa : Et merde, puisque je vais mourir, au moins faire l'amour.

Lana faisait du café dans un percolateur en aluminium. Il huma l'arôme du café grillé, mais même cela lui était interdit. Il se plaça derrière sa femme et releva la mince robe de coton sur ses hanches.

« Je te vois venir, dit Lana. Es-tu sûr ? Oh, je vois, tu es sûr ! »

Que de joie les sens, la peau, pouvaient apporter, pensa-t-il tout en lui faisant l'amour avec lenteur. Il savoura chaque frisson, chaque vibration. Cette vibration de ses nerfs qui auparavant le mettait en danger, voilà qu'il en tirait des encouragements. Il faillit s'évanouir, mais il ne se sentait pas en danger et, quand il eut retrouvé son calme, il tomba endormi, souriant comme un bébé repu.

Lana alla voir le cardiologue, le Dr Kraljevic, à l'hôpital Rebro. *Rebro* qui, drôle de coïncidence, veut dire « côte ». Hôpital des côtelettes – pas très invitant, n'est-ce pas ? Mais le chirurgien refusa le pot-de-vin. « Oh non, ma chère, ça ne marche pas comme ça ! Vous lisez trop les journaux. Nous ferons tout ce que nous pouvons pour votre mari. »

De retour à la maison, elle raconta dans le détail sa visite à Ranko, et lui demanda : « Qu'allons-nous faire de l'argent ?

— Le rendre.

— Il nous faut une voiture pour te conduire à l'hôpital si jamais tu as une attaque. Ça irait plus vite que d'appeler une ambulance. Je suis sûre que tes amis ne désapprouveraient pas que nous utilisions l'argent pour ça. »

Le chirurgien donna à Ranko l'adresse de plusieurs personnes ayant reçu un cœur. L'un d'eux fendait du bois quand Ranko et Lana lui rendirent visite dans leur Kia Pride toute neuve. Dans le froid, deux filets de vapeur s'échappaient de son gros nez rouge.

« Oh oui, mon ami, lui dit l'homme en retirant sa casquette ornée d'une plume de faisan, la transplantation cardiaque est la meilleure chose au monde. Avant ça, pendant des années, je pouvais à peine marcher, et regardez-moi maintenant ! » Il souleva sa hache et fendit une grosse bûche de chêne.

« Impressionnant ! s'exclama Ranko.

— En fait, non, y a un truc. Vous voyez, les bûches étaient mouillées et elles ont gelé, alors elles se cassent comme du verre. J'ai essayé d'en fendre quelques-unes avant qu'elles gèlent, et j'ai pas réussi. Je parie que vous pourriez…

— Vaut mieux que j'essaie pas », répondit Ranko.

Ranko rencontra d'autres hommes vigoureux qui avaient eux aussi reçu un nouveau cœur. L'un d'eux jouait au tennis, un autre montait à cheval, et un troisième partait chasser la perdrix et l'invita à l'accompagner. Ranko se demanda comment on pouvait avoir envie de tuer alors qu'on avait frôlé la mort, mais soit, il n'avait rien à voir avec cet homme, et il avait toujours aimé observer les différences ; il appréciait les singularités de la nature humaine.

Il se demanda combien d'hommes ayant reçu un nouveau cœur il ne pourrait pas voir parce qu'ils étaient morts ; les médecins plastronnent au sujet de leurs succès partout à la surface du globe, tandis que leurs échecs pourrissent en dessous, comme on dit. Pourtant, Ranko se sentait encouragé, et plutôt deux fois qu'une. D'abord parce que son chirurgien avait fait des pieds et des mains pour organiser ces rencontres, ce qui signifiait qu'il voulait vraiment lui trouver un nouveau cœur, et ensuite parce que, apparemment, quelqu'un pouvait très bien vivre, et tout à fait normalement, avec un cœur greffé.

Chaque fois que le téléphone sonnait, Ranko et Lana bondissaient sur l'appareil, pleins de crainte et d'espoir.

Crainte parce qu'il pouvait s'agir du fameux appel : la transplantation cardiaque, l'anesthésie générale, l'ouverture de la cage thoracique, couper et encore couper... puis, peut-être, le retour à la vie, la vraie vie. Au début, ils restaient assis tout près du téléphone vert. Mais seuls les amis les appelaient. Enfin, pas uniquement. Les amis donnaient un sens aux souffrances de la survie. Sans eux, autant se pelotonner et mourir. Oh, il serait si facile de se laisser partir : dans ses nombreux moments d'exquise faiblesse, alors qu'il sombrait dans le sommeil, le matin, le midi, toute la journée.

Puis un jour, ils reçurent l'appel, à six heures du matin, l'heure à ses yeux la plus odieuse du jour, celle à laquelle on ne peut ni s'endormir ni se réveiller. Cette fois-là, il était profondément endormi, et la sonnerie le transperça. Il se leva sur son coude droit tandis que Lana, complètement nue, sautait du lit et décrochait le téléphone. « C'est pour toi. Hôpital Rebro. »

Il enfila son pantalon avec une telle hâte qu'il se coinça les poils pubiens dans la braguette ; il n'avait pas pris le temps de trouver ses sous-vêtements. Ils étaient déjà dans la voiture, en route vers l'hôpital. Il avait le souffle court et des douleurs à la poitrine, comme s'il sentait déjà le bistouri lui charcutant les chairs. Il jeta un coup d'œil à sa femme derrière le volant, ses petits seins pointus étaient parfaitement visibles de cet angle et elle avait oublié de se boutonner. Il se demanda si c'était la dernière image qu'il emporterait d'elle.

Ils roulèrent vite, renversant presque un piéton ivre. « Fais attention, lui dit-il. Je ne veux pas de son cœur !

— Pourquoi, il baigne dans l'alcool, parfaitement conservé ! »

Elle accéléra. « Si tu continues, la prévint-il, il va y avoir bien trop de cœurs disponibles ! »

Aussitôt arrivé, Ranko fut envoyé dans une chambre où se trouvait un homme portant un bandage sur la tête et autour de l'abdomen.

Le chirurgien entra.

« Alors, où est ce cœur ? » demanda Ranko, qui sentit le sien s'emballer. Mais les battements surnuméraires qu'il produisit n'étaient peut-être pas des battements, mais des palpitations, voire des trépidations.

« Oui, nous l'avons. Il suffit juste de le préparer pour vous. »

Le chirurgien ne répond pas à ma question, pensa-t-il.

Où était-il ? Pas dans un congélateur, tout de même. Enfin, sait-on jamais.

« Il n'est pas encore tout à fait prêt. Détendez-vous. Il va nous falloir quelques heures ou quelques jours. Et puis on ne sait jamais, ce ne sera peut-être pas tout à fait le bon.

— Je pensais que vous n'attendiez pas pour les cœurs.

— Maintenant, détendez-vous. Prenez un livre que vous aimez… vous avez un livre ?

— Non.

— D'accord, alors je peux vous en recommander un. *Moi qui ai servi le roi d'Angleterre*, de Bohumil Hrabal. Très drôle.

— C'est sorti il y a des années.

— Vous l'avez lu ?

— Non.

— Alors… ne faites pas le difficile. Je vous l'apporterai. Ciao. »

Une infirmière, dont le visage avait la couleur pâteuse d'une lasagne, avec un trait de rouge sur les lèvres, comme une couche de sauce tomate, donna à Ranko un sédatif. Il s'endormit.

Un fort gémissement le réveilla. L'homme dont il partageait la chambre souffrait le martyre.

« Où avez-vous mal ? demanda Ranko.

— Où est-ce que je n'ai pas mal, vous voulez dire, répondit l'homme. Même les ongles et les cheveux me font mal. »

Sa voix était à la fois sifflante et gutturale, comme s'il avait perdu la moitié de ses cordes vocales.

« De quelle maladie souffrez-vous ?

— Une maladie ? On m'a tiré dessus. Une balle dans la tête, une dans l'abdomen. »

Il poussa un grognement. « Je ne devrais pas parler. Ça fait mal !

— Qui vous a tiré dessus ?

— Aucune idée.

— Pourquoi vous a-t-on tiré dessus ?

— Comment voulez-vous que je le sache ? Avec tous ces abrutis qui ont fait la guerre et toutes ces armes qui circulent. Deux crétins m'ont tiré dessus parce que j'avais pris leur place de stationnement. Je les avais même pas vus. Ils attendaient pour se garer en marche arrière. J'ai cru que j'étais mort – enfin, je ne vais pas tenir très longtemps.

— Gardez la foi. Je pensais que c'était trop tard pour moi, mais j'ai cru quand même.

— Croire en quoi ? Je ne suis pas religieux, je ne peux pas croire.

— Je ne le suis pas non plus, mais après mon infarctus, même si on m'a dit qu'il ne me restait pas un an à vivre, eh bien, j'ai commencé à croire en ma famille, et l'amour m'a permis de vivre, et ça fait maintenant plus d'un an… et j'attends une transplantation cardiaque.

— Bonne chance. Ça a l'air sympa comme ça, mais j'aimerais pas être à votre place. À ce compte-là, ils devraient me greffer un nouveau cerveau. Vous savez s'ils font ça ? » Il gémit de nouveau. « Et le pire, c'est que vous pensez que la douleur va vous distraire, vous savez. Mais je m'ennuie !

— On joue aux échecs ? demanda Ranko.

— C'est pas une mauvaise idée, vous avez un échiquier ?

— J'appelle ma femme. » Ranko sortit son téléphone cellulaire – ils avaient été parmi les premiers à en posséder à Zagreb ; il en avait besoin au cas où un cœur se libérerait alors qu'il était absent de la maison. Maintenant, c'était bien de l'avoir pour appeler Lana.

L'homme aux bandages, David, pouvait à peine soulever le bras, aussi Ranko déplaçait-il ses pièces. Ils jouaient des parties très créatives, consentant aux nombreux sacrifices qu'imposaient leurs combinaisons, comme si de frôler la mort leur avait appris à ne pas craindre les pertes, mais à chercher des moments de beauté. Enfoncé dans ses oreillers, le visage creusé et le teint terreux, David semblait épuisé, mais là, devant une combinaison, celui de ses yeux qui n'était pas bandé s'ouvrait tout grand, reflétant la lumière, et ses joues reprenaient des couleurs (ou peut-être l'empruntaient-elles au sang du bandage) ; il semblait revenir à la vie.

« J'aime les échecs ! disait-il. Il n'y a pas que l'amour dans la vie.

— Mais tu viens juste de dire que tu aimais ça, alors c'est de l'amour, dit Ranko.

— D'accord, je te le concède, mais je ne te céderai pas ce pion.

— Tu as des enfants ?

— Oui, cinq filles, superbes. Elles sont à Split. Je ne vis pas avec elles, malheureusement. Je buvais trop, alors ma femme m'a foutu dehors. Tiens, tu veux voir une photo de ma plus jeune ? Aïe, où est mon portefeuille ? » Il n'arrivait pas à se retourner. « Tant pis, la prochaine fois…

— Je peux l'attraper, dis-moi juste où il se trouve.

— Normalement, je ne ferais confiance à personne avec mes cartes de crédit, mais l'hôpital est déjà passé par là… Je suis sûr qu'elles sont à la limite. Alors, vas-y, c'est sous l'oreiller. »

Ranko glissa la main avec précaution et saisit le portefeuille. Peu après, il regardait une photo de l'homme et de ses cinq filles, toutes des répliques de lui, dans des formats différents. Il avait les cheveux longs et noirs, il était mince, elles étaient toutes sur ce modèle. « Pourquoi ta femme n'est-elle pas sur la photo ?

— C'est elle qui la prend.

— Quelle abnégation.

— Je ne dirais pas ça. Elle dépense des milliers de marks pour la photo, et je lui ai acheté le meilleur équipement. Elle se prend pour une pro, et elle est bonne, je l'admets, mais qui peut se dire pro dans ce pays ? »

Quand le chirurgien entra et les vit tous les deux, Ranko assis sur une chaise aux côtés de David, lui-même assis au milieu de ses oreillers, il fut stupéfait. Passé un instant de confusion, il dit : « David, c'est formidable ! Je venais vérifier… oh, mais c'est sans importance. C'est merveilleux. Mais que faites-vous au juste tous les deux ? Vous ne devriez pas vous fatiguer l'un l'autre ! Ranko, s'il vous plaît, laissez-le se reposer.

— Les échecs ne sont pas fatigants, objecta Ranko.

— C'est un sport, précisa le médecin. Un sport intellectuel. Le cerveau de David ne doit pas travailler trop fort. Qui sait les tours que peut nous jouer l'esprit… Regardez Karpov, comme il a l'air épuisé et maigre. »

Pendant qu'ils discutaient, David s'endormit – il ronflait, un ronflement tout léger, le souffle court.

« Alors, où est-il, ce mystérieux cœur ? demanda Ranko. Dans un congélateur ?

— Non, toujours dans une cage thoracique », dit le chirurgien, qui cligna des yeux et désigna David d'un menton noirci de barbe.

« Quoi ? Vous allez lui arracher le cœur pour me le donner ?

— Il devrait être mort, maintenant. Je me demande comment il tient encore le coup.

— Les échecs le maintiennent, il adore les échecs.

— Alors, ne jouez plus avec lui. Il va bientôt mourir de toute façon ; je ne vois même pas comment il pourrait s'en sortir. Et il vaut mieux pour vous que ce ne soit pas trop long, son cœur pourrait se détériorer, et ça ne serait pas bon pour vous. »

Ranko regarda David et se sentit l'âme d'un prédateur. Il aurait aimé obtenir un cœur abstrait, sorti d'un labo, même un cœur électronique, tout valait mieux que d'attendre le cœur d'un ami, car David était devenu un ami. Quelle folie, d'attendre qu'un ami meure, de désirer qu'il meure vite. D'un autre côté, David souffrait, et peut-être serait-ce pour lui une délivrance, une délivrance pour eux deux. Fallait-il lui en parler ? David était sans doute au courant, il avait sûrement fait don de son cœur.

Fallait-il s'approcher de lui et l'étouffer, tout simplement ? Cela mettrait fin à son calvaire et son cœur serait encore bon. Il ne resterait plus ensuite qu'à appeler les médecins. Pendant combien de minutes un cœur reste-t-il utilisable après la mort clinique ? Il eut honte de ses réflexions. Mais c'était peut-être sa seule chance de rester vivant lui-même. C'était le démon de la survie qui lui avait murmuré ces pensées à l'oreille. Au jardin d'Éden, Satan n'avait-il pas promis l'immortalité, ou bien y avait-il deux arbres, l'un offrant la connaissance du bien et du mal, l'autre la vie éternelle ? Ève avait croqué la mauvaise pomme. Mais elle avait peut-être besoin d'un cœur. Peut-être y avait-il un arbre où poussaient des cœurs. Les pommes ne ressemblent-elles pas à des cœurs ? Il regarda David de nouveau, écouta sa respiration agitée et mouillée, et imagina qu'il y avait là un bon cœur, un cœur qui pourrait palpiter dans sa poitrine à lui. Il frissonna de dégoût à cette idée. Ainsi, ce ne sont pas seulement les tissus qui rejettent l'organe étranger, c'est aussi l'esprit, ou probablement que l'esprit le rejette le premier, et que le corps lui emboîte le pas. Chaque fois qu'il regardait la cage thoracique de David, il grimaçait. Sa grimace devint un tic.

Lana lui apporta un petit système de son et quelques CD.

« Ça te dérange si j'écoute doucement de la musique, demanda-t-il à David.

— Quel genre ?

— Bach et des trucs comme ça.

— J'ai jamais vraiment écouté de musique classique, mais peut-être que j'aimerais ça maintenant ? J'ai jamais essayé, trop occupé. »

Ranko fit jouer le *Concerto pour piano n° 4* de Beethoven. David s'endormit. Ranko avait toujours raffolé des mouvements allegro, mais là, il préférait l'adagio. Tout allait un peu plus lentement pour lui, désormais. Même le rythme de son rire avait ralenti, même le débit de sa conversation, un peu comme s'il avait réduit toute l'harmonie d'un orchestre à l'adagio, afin d'en savourer chaque note, de sentir chaque corde, de laisser vivre… de s'abandonner.

David se réveilla et sourit. « C'est magnifique. Si je pouvais vivre de nouveau, j'écouterais ça tous les soirs avant de m'endormir, je le jure.

— Attends d'avoir écouté celle-là ! » Et Ranko lui fit jouer le Concerto pour violoncelle de Dvořák, interprété par Rostropovitch.

« C'est sublime », s'émerveilla David. Des larmes lui coulèrent sur les joues pendant le deuxième mouvement.

« Qu'y a-t-il ?

— Tu n'entends pas ? C'est une marche funèbre. J'ai entendu cet air aux funérailles de mon père – joué par un ensemble de cuivres. Ils faisaient beaucoup de fausses notes, mais ça ne le rendait que plus triste, comme si le monde s'écroulait, et c'est vrai qu'il s'écroulait. Il est tombé à la mer alors qu'il pêchait et s'est noyé ; il est sans doute mort d'une crise cardiaque avant de se noyer. Enfin, j'espère que c'est ce qui s'est passé, même si je ne vois pas très bien la différence que ça ferait maintenant.

— Je suis désolé, dit Ranko.

— Je me souviens comment il m'a appris à nager avec un masque et un tuba quand j'avais cinq ans. Il me tenait par la taille, ça chatouillait, je luttais pour ne pas rire, et quand j'ouvrais les yeux, il y avait au-dessous de nous un univers divin et sombre où des poissons jaunes et bleus fusaient comme des étoiles filantes et des comètes. Pour moi, ça donnait un sens au monde : un paradis lent au-dessus, et un où tout va très vite en dessous. Et je me souviens comment je m'asseyais sur ses genoux, et comment il chantait… »

Soudain, deux infirmiers ouvrirent la porte avec fracas, saisirent David et l'emportèrent alors qu'il jurait.

« Mais attendez, il est vivant. Où l'emmenez-vous ? demanda Ranko.

— Il a besoin d'un traitement », répondit l'un d'eux.

Vont-ils le tuer ? M'apporter son cœur ? Cette pensée terrifia Ranko. Ses amis et sa femme avaient-ils fini par payer le pot-de-vin ? Un paiement qui propulsait David dans l'express ad patres ? Les médecins envoyaient-ils des gens dans des stationnements pour y buter des hommes apparemment en bonne santé afin de récupérer leurs organes ? Ou peut-être allaient-ils vraiment aider David ?

Le lendemain, David n'était toujours pas revenu. Un nouveau patient fut amené, qui attendait lui aussi un cœur. Il ne jouait pas aux échecs et n'aimait pas parler. Il se contentait de haleter tout en essuyant du dos de sa main gonflée la sueur sur son front, sans jamais cesser de répéter, mon Dieu, mon Dieu. Il tripotait sans cesse un chapelet fait de pépites d'or, des petites pépites, certes, mais des pépites tout de même, et murmurait à toute vitesse des *Je vous salue, Marie.*

Il était gros, pas rasé, chauve, et affublé de grosses oreilles. Ranko pensait avoir vu cette tête dans les journaux. N'était-ce pas un de ces généraux que le gouvernement s'était engagé à livrer à La Haye ?

Le général lui jeta un regard farouche, comme s'il avait lu dans ses pensées, ses sourcils épais et relevés ajoutant à la menace. Il sonna une infirmière et, quand celle-ci entra, il s'indigna.

« Il me faut une chambre individuelle. C'est une honte !

— Mais nous manquons de place. Presque toutes les chambres sont comme celle-ci, et une douzaine de personnes s'entassent dans la plupart d'entre elles, et…

— Je veux une chambre individuelle. »

Il fut rapidement emmené par deux infirmiers que Ranko n'avait jamais vus.

Le lendemain, le chirurgien vint voir Ranko. « Vous pouvez rentrer chez vous. » Il paraissait contrit.

« Qu'est-il arrivé au cœur ?

— Ne m'en parlez pas. Une bien triste histoire !

— Et David, il s'en est sorti ?

— Il est mort assez vite. Je ne pense pas qu'il ait souffert – il a perdu connaissance… puis la vie.

— Et son cœur ?

— Il lui a été retiré, et transplanté.

— Transplanté ? Mais où ?

— Les idiots auraient dû examiner le cœur, mais au lieu de cela, dès qu'ils ont pu, ils l'ont donné à l'homme qui était dans votre chambre.

— Mais je pensais que j'étais au sommet de la liste.

— Vous l'étiez. Mais cet homme en avait plus besoin. Il était en plus mauvais état que vous. Et nous avons fait des tests : ses tissus étaient moins susceptibles que les vôtres de rejeter cet organe.

— Mais j'attendais depuis plus longtemps.

— C'est vrai. Je voulais que vous ayez ce cœur. Mais… des volontés supérieures. C'était un général. Enfin, vous avez eu de la chance.

— De la chance ? En quoi ? Pourquoi ne l'ont-ils pas opéré à l'hôpital militaire ?

— Les cœurs sont difficiles à obtenir.

— Et comment va le général ? À combien s'élevait son pot-de-vin ?

— Il ne va pas du tout. Il est mort !

— Hein ? Pourquoi ? Qu'est-ce qui a mal tourné ? » Soudain, Ranko fut épouvanté. Ç'aurait pu être lui. Il était prêt à haïr cet homme, mais maintenant il éprouvait pour lui une forme de compassion, de celle que l'on réserve aux morts, plus faite de terreur que de miséricorde.

« Le cœur était mauvais.

— Avez-vous réalisé la transplantation ?

— Non, c'était un autre chirurgien. Un militaire. Il y avait des sentinelles devant le bloc opératoire. Je n'ai même pas été autorisé à entrer durant l'intervention. Tout cela m'a vraiment contrarié.

— Est-ce que le fait que David ait vécu plus longtemps lui a gâté le cœur ? Ai-je contribué à cela ?

— Non, son cœur était défectueux dès le départ. Ils ne l'ont jamais correctement examiné. Il avait une cloison perforée. Tas d'idiots !

— Je suis chanceux ? Chanceux d'être encore en attente pour une chirurgie ?

— Chanceux d'être vivant !

— Mais pas pour longtemps.

— Dieu seul le sait. Si vous tenez le coup, nous trouverons un autre cœur, et je l'examinerai personnellement. C'est peut-être vous qui tirerez le ticket gagnant.

— Mais ce général, continua Ranko. Quand a-t-il été diagnostiqué ?

— Je n'en sais rien. » Le chirurgien secoua la tête.

À la maison, même quand il remplissait d'eau le samovar rond, il n'arrêtait pas de penser. Que s'était-il passé ? Il échafaudait toutes sortes de théories. Un : l'homme qui a abattu David dans le stationnement avait été engagé par le général afin que ce dernier puisse obtenir son cœur. Un assassinat motivé non par des raisons politiques, mais médicales. Vol de cœur. Et ils s'étaient servis de Ranko comme d'un leurre pour camoufler ce qui se passait vraiment. Enfin, toute cette théorie partait de l'idée que le général contrôlait la situation. La seconde théorie, peut-être liée à la première, relevait du complot international : se débarrasser du général en lui donnant un cœur défectueux. Sa mort durant l'intervention rendait caduque la nécessité de l'assassiner et, ainsi, personne ne soupçonnerait Tudjman d'être derrière l'opération. Parce que Tudjman, bien sûr, voulait à tout prix éviter qu'un général fort bien renseigné se retrouve à La Haye et révèle que les ordres de se livrer à de nombreuses exactions émanaient directement de lui. C'était bien plus subtil que ce que Milošević avait fait en Serbie en orchestrant toute une série d'exécutions dignes de la mafia, dans des halls d'hôtel où des tireurs d'élite abattaient des criminels de guerre en leur tirant dans la tête, en plein globe oculaire, comme cela s'était passé avec Arkan. Mais, là, qui irait deviner qu'il s'agissait d'un assassinat ? Ils savaient parfaitement que ce cœur était déficient, ils le voulaient ainsi. Ils avaient ciblé un homme dont le cœur était mauvais pour être sûr de leur coup. Et comme David prenait trop de temps à mourir, qu'il n'avait pas l'air d'un homme à l'article de la mort – mais qui peut le savoir vraiment ? –, on l'avait peut-être aidé à passer l'arme à gauche. Ces suppositions donnèrent à Ranko la chair de poule. David avait peut-être été témoin de certaines choses, et il avait alors été véritablement assassiné, à la serbe. L'esprit de Ranko était en train de disjoncter. Toutes ces théories le rendaient paranoïaque.

Ranko était heureux à la maison, à boire sa tisane Red Zinger. Encore un jour au paradis, encore un jour sur terre. Il n'y a que la terre et l'enfer, pensait-il. Ou le paradis et l'hôpital.

« Où est ton téléphone cellulaire, demanda Lana.

— Je l'ai jeté.

— Pourquoi ? Quel affreux gaspillage !

— Si un cœur est disponible, je ne veux pas le savoir. » Il gémit et suffoqua. Bien qu'il fût au paradis, il ne se sentait pas bien.

Ranko écarta les rideaux, et tous deux se postèrent

devant la fenêtre. En face d'eux trônait le mont Sljeme – couronnant les deux flèches en pierre blanche d'une cathédrale et les toits rouges de Gornji Grad. La montagne s'élevait au-dessus d'une couche de fins nuages qui l'enveloppaient d'une jupe. La cime était couverte de neige, et il se l'imagina froide au point de l'arracher à sa torpeur médicamentée, chaude, humide, moite. Et s'il mourait sans avoir une dernière fois touché et senti la neige de la montagne ? Cette perspective l'emplit d'un désir fou de le faire – s'il pouvait aller là-bas ne serait-ce qu'une heure, cela vaudrait bien tous les bonheurs qu'il lui restait à vivre. Ce serait une excellente occasion d'en finir. « Allons à la montagne cueillir des champignons, dit-il.

— Tu es fou ? Avec ce froid ?

— Oui, surtout avec ce froid. Il y aura des pleurotes, qui poussent sur le bois mort, sur les hêtres, et ils seront merveilleusement frais, neigeux, cristallins. » Il respira péniblement, s'approcha de l'oreille de Lana et regarda son lobe, où vacillait une petite boucle de cristal ; l'oreille lui apparut comme un pleurote, tordue et déployée en éventail, et elle avait même cette odeur de forêt terreuse que portent les vents d'hiver. Alors il se pencha et la mordilla.

Poudreuse

De gros flocons de neige flottaient dans le vent comme des plumes blanches. Mirko appuya la tête contre un carreau de la fenêtre, laissa son regard filer par-dessus la colline, vers les montagnes drapées de nuages clairs et de neige, et se sentit grisé.

Il se fraya un chemin vers la cave et attendit que ses yeux se soient accoutumés à l'obscurité, alors que seuls quelques rais de lumière frappaient un sac de pommes de terre en train de germer. Ses skis émergeaient du noir, éclairés par une lumière beige émanant d'eux, de l'âme du vieux bois. Mirko caressa délicatement ces doux fantômes des hivers passés, qui claquèrent et se croisèrent alors qu'il les traînait dans l'escalier. Il les passa à la cire d'abeille et les lustra avec de vieilles chaussettes. Puis il se dirigea vers le portail du jardin, une vieille chose rouillée et grinçante montée sur des charnières branlantes.

« Où vas-tu ? Il faut que tu fasses tes devoirs et que tu te prépares pour l'école.

— Maman, regarde cette neige magnifique.

— Oui, je comprends, mais tu as des maths à faire.

— Je suis bon en maths.

— Tu ne le resteras pas si tu te laisses aller. »

Mirko courut dans le jardin et skia entre le hangar à bois et l'ancien enclos des chèvres – un règlement municipal interdisant désormais qu'on garde des chèvres en ville.

La fraîcheur mouillée sur ses joues et la neige dans son col de chemise firent courir sur son corps un délicieux frisson.

Très vite, Boro, son jeune frère, le rejoignit, et ils se livrèrent à une bataille de boules de neige jusqu'à ce que leurs doigts deviennent rouges et douloureux. Mirko se moqua de Boro, dont le visage avait pris l'apparence d'une pomme vert et rouge : menton et lèvres vertes, joues et nez rouge.

Lorsque, plus tard, Mirko partit à pied pour l'école, ses doigts gantés le démangeaient encore jusque sous les ongles. Le premier cours était son préféré : géographie. Il connaissait le nom des sommets les plus hauts de chaque continent, des cours d'eau les plus longs, des fosses océaniques les plus profondes. Le cours portait sur l'Antarctique et les effets du réchauffement planétaire. L'enseignante, madame Medic, une vieille femme aux cheveux gris dont les petits yeux rayonnaient sous des paupières gonflées d'un rouge sombre, expliquait comment les pays occidentaux industrialisés avaient emmagasiné de la chaleur dans l'atmosphère.

« Est-ce que ça signifie que le plus haut sommet de l'Antarctique va s'affaisser ? demanda Mirko. Il culmine actuellement à 4 892 mètres.

— C'est une question intéressante, répondit-elle. Nous allons devoir calculer.

— Mais il est fait de roc, pas comme le pôle Nord.

— Bravo. Alors il ne baissera pas à cause de la fonte.

— Mais peut-être que oui, ajouta-t-il. Combien de mètres de glace ou de glacier trouve-t-on au sommet ?

— Il faudra vérifier.

— Et si la glace fond dans le monde entier, le niveau des océans montera, et cela réduira l'espace existant au-dessus du niveau de la mer également, non ?

— Tu as tout à fait raison, admit-elle. Brillant, venant d'un garçon de dix ans. Je vais te donner un A. »

Elle ouvrit le carnet de notes et, de sa main tremblante et enflée, traça un grand A en rouge.

Cela ne fit pas le bonheur de Mirko – le monde était en train de fondre ; quelle était l'importance d'une note comparée au sort de la planète ? Il regarda par la fenêtre et vit la neige qui tombait lourdement. Les branches en étaient couvertes, le dessus blanc, le dessous marron – presque noir –, divisées comme un drapeau. Il se demanda s'il existait un drapeau qui reprenait cette combinaison, et n'en trouva aucun. Et pourquoi y aurait-il un drapeau moitié blanc, moitié noir ? Que symboliserait-il ? La paix et la mort ? La mort paisible ? La paix mortelle ? Baissez les bras et allez à l'église ? Rien de cela n'était très séduisant.

Les arbres à feuilles persistantes, blanc et vert, offraient un meilleur agencement de couleurs pour un drapeau, mais pas la bonne forme, avec leurs branches ployant sous le poids de la neige.

La cloche de la récréation sonna. Il dévala les escaliers de bois qui grinçaient et chantaient, comme si ses pieds étaient des doigts bondissant sur le clavier d'un piano fatigué et désaccordé. Dans la cour de l'école, il s'agenouilla et étreignit la neige de ses bras pour en faire un petit tas qu'il pressa de ses paumes et qu'il fit ensuite rouler. La boule de neige grossit rapidement à mesure qu'elle laissait derrière elle un sillon toujours plus large de pavé nu. Soudain, une boule de neige glacée lui frappa l'oreille droite, qui résonna d'une vive douleur, et un son très aigu, comme celui d'un diapason que l'on fait tinter, lui vrilla le tympan. Il tenta de se relever pour voir qui avait fait ça, mais n'y parvint pas. Un garçon le saisit par-derrière et le fit tomber. Un autre le frappa en criant : « Ça t'apprendra, grosse tête, à faire l'intéressant en classe.

— C'est juste ça que tu fais ? Lire des bouquins ? Pas la peine de se demander pourquoi t'es tout faiblard ! »

Il se débattit pour se dégager.

La cloche sonna, signalant la fin de la récré.

Les garçons se relevèrent. Mirko se lança à leur poursuite et fit un croche-pied au moins rapide, qui tomba aux pieds du prof de maths, un homme potelé au visage rouge et aux cheveux blancs.

L'enseignant scruta les garçons, alluma sa cigarette fripée avec une allumette, agita la flamme d'un geste vif qui lui retira toute vie, de sorte qu'il n'en restât plus qu'un filet de fumée sulfureuse, puis il se dirigea vers la salle de classe sans un mot. Les garçons suivirent, inhalant l'arôme incendiaire et non filtré de sa colère.

« Lève-toi, toi, Mirko », demanda le professeur en crachant un épais nuage de fumée blanche qui donna l'impression que sa chevelure blanche prenait elle aussi de l'expansion, tandis que sa face rougeaude rapetissait pour n'être plus que le bout incandescent et vivant de la cigarette.

Mirko obtempéra.

« Est-ce une manière de se comporter ? »

Le garçon qui était tombé émit un sanglot et essuya ses joues qu'aucune larme ne mouillait.

« Professeur, deux d'entre eux m'ont attaqué pendant la récréation, et j'ai juste essayé de prendre ma revanche.

— Saine réaction. Montre-moi tes devoirs.

— J'ai oublié mon cahier à la maison.

— Mais tu as fait tes devoirs ? Très bien ! Alors tu sais faire des divisions complexes, et exprimer le résultat en décimales. Viens au tableau nous montrer si tu as retenu quelque chose. »

Debout au tableau, Mirko essayait de ne pas se laisser perturber par le tintement du diapason qui lui résonnait dans l'oreille, et, peut-être à cause de cette note aiguë, il n'avait pas le trac. Il résolut brillamment le problème.

« Grosse tête, grosse tête ! crièrent les enfants.

— Ignore-les », dit le professeur en glissant des doigts jaunes dans la tignasse brune et bouclée que Mirko n'avait pas peignée, et il l'ébouriffa si fort en lui donnant sa bénédiction nicotinée que l'enfant sentit l'électricité statique crépiter dans son cuir chevelu en même temps qu'une vague de fierté dévalait le long de sa colonne, puis se décomposait en un sentiment de répugnance dans le bas de son abdomen.

Mirko regarda les rangées d'enfants et vit que sa préférée, Bojana, lui souriait. Il rayonnait de bonheur quand il plongea son regard dans ses yeux verts bordés de cils noirs.

À la fin des classes, il suivit Bojana dehors.

« Voyons voir qui pourra faire le plus bel ange », dit-elle.

Elle se laissa tomber à la renverse dans la neige et ferma les yeux, puis battit des bras, comme un oiseau.

Ses lèvres effilées s'entrouvrirent, révélant des dents d'un blanc de neige, et ce fut comme si la neige autour d'elle était aussi en elle, surtout quand elle ouvrait les yeux, dont le blanc était des plus purs. Il émanait d'elle une merveilleuse froideur glaciale.

« À toi ! dit-elle. Ferme les yeux et imagine que tu voles vers le Seigneur. »

Il obéit joyeusement, et continua d'éclabousser la neige

quand, soudain, il sentit un picotement mouillé sur ses lèvres. Il ouvrit les yeux et elle bondit en arrière.

« Je t'ai dit de garder les yeux fermés ! » s'écria-t-elle, le visage écarlate.

Il s'essuya les lèvres et regarda ses mains comme s'il allait y trouver du sang ou du miel.

« Ça aurait duré plus longtemps si tu étais resté les yeux fermés.

— Tu m'as embrassé ? demanda-t-il.

— Oui, tu as aimé ça ? Je parie que tu n'as jamais embrassé avant.

— Non. Et toi ?

— Oui, à l'instant même. Je pense que le moment était vraiment venu pour un premier baiser. Après dix ans, c'est presque trop tard. Il y a de quoi avoir honte si on ne l'a pas encore fait. »

Elle ramassa de la neige dans ses paumes et la lui envoya au visage.

« Maintenant, peu importe ce qui arrive dans nos vies, nous serons toujours liés par ce premier baiser, tu comprends ? Nous ne l'oublierons jamais.

— Tu veux recommencer ?

— Non, pas aujourd'hui, c'est trop tôt pour un second baiser. Ça peut attendre un an. »

Et elle s'enfuit en riant.

Mirko galopa vers la maison, sautillant dans les rafales, soudain plus riche qu'avant, entouré d'un monde plus vaste, comme une orange est plus charnue avec sa peau que sans. C'était comme si le monde, une orange pelée devenue sèche et amère, avait regagné sa peau et sa fraîcheur, et la possibilité de redonner du jus. Il savourait le crissement de la neige et tenta d'en faire une mélodie en la foulant lentement puis rapidement, doucement puis fermement. Il en ramassa un peu sur la branche d'un sapin, la mangea, puis y plongea le visage. Neige, divine neige.

Ce soir-là, son père, Zvonko, rentra d'Allemagne. Les affaires au pays étaient si mauvaises que plus personne ne voulait de montres mécaniques et que tout le monde achetait dans la rue des montres à quartz bon marché fabriquées en Chine. Alors, une semaine par mois, il partait pour l'Allemagne où il vendait des montres et des pendules antiques dans des brocantes.

« Ça m'a pris un temps fou pour arriver, raconta le père. Il y a énormément de routes bloquées. Les Serbes ont envahi tellement de territoire que j'avais l'impression d'être une mouche qui veut entrer dans une bouteille à travers un bouchon pourri. Mais vous, vous allez tous bien ?

— Dieu merci, répondit sa femme, Neda. Tout le monde ici va plutôt bien. Nous ne sommes pas comme ces fous de Bosnie ; nous nous fichons pas mal de savoir qui est qui.

— Tu crois ? »

Zvonko donna à Boro, le frère de Mirko, des pièces de monnaie – quelques pièces de dix francs gagnées sur un marché de Strasbourg, faites d'un cercle de métal jaune avec un centre de nickel ; une pièce allemande de cinq marks ; une de cinq francs suisses montrant une croix massive sur un bouclier ; des lires italiennes... Boro les empila pour en faire de petites tours et demanda combien valait en dinars chacune d'elles.

« Tu ne peux pas les convertir en dinars, protesta Mirko. Le dinar ne vaut rien. Convertis-les en marks.

— Excellent conseil, dit Zvonko. Un mark vaut trois francs et mille lires.

— Est-ce que les Italiens sont les plus pauvres, si leur monnaie vaut si peu ? demanda Boro.

— Non, ils aiment juste avoir plein de zéros. En Italie, tout le monde est millionnaire. »

Après le repas, le père et ses fils sortirent faire un bonhomme de neige. Pour les yeux, Zvonko utilisa deux vieilles montres irréparables.

Le lendemain, Mirko fut réveillé par le baiser que son père fit claquer sur son oreille, et qui remit en marche son diapason interne. Mirko sauta du lit pour voir si la neige était encore là.

« Ne t'en fais pas, le bonhomme de neige n'ira nulle part », dit Zvonko.

L'année précédente, Mirko avait pleuré quand son bonhomme de neige avait fondu, et il gardait encore au congélateur, dans un sac Ziploc, le bonhomme de neige tout ratatiné de la taille d'un chaton égyptien momifié. La mort de son bonhomme de neige l'avait chagriné pendant des jours. Que la neige ait fondu tout autour était déjà assez difficile, mais que son ami, dont l'âme était faite de neige, soit condamné à la fonte et à la disparition l'avait terriblement blessé. Cette fois, Mirko ne s'attacherait pas au nouveau bonhomme de neige, même si les montres de ses yeux avaient commencé à égrener les minutes avant qu'il ne vînt au monde, avant que les effets du réchauffement planétaire ne se fassent sentir, quand les hivers n'étaient que hurlements de tempêtes, et le monde, un paysage neigeux en perpétuel mouvement. Oh, quelle chance avaient mes grands-parents, pensa-t-il, puis il se souvint qu'ils avaient été assassinés en plein hiver par les Serbes durant la Seconde Guerre mondiale.

« As-tu fait tes devoirs ? lui demanda son père.

— On n'en a pas.

— Génial !

— Est-ce que je peux aller à l'école en ski ?

— As-tu un endroit où les cacher ?

— Je les emmènerai en classe et les mettrai derrière le poêle. »

Mirko enfila ses chaussures de ski et les fixa sur ses skis. Puis, son sac d'écolier sur le dos, prit le chemin de l'école. Mais au premier virage, aussitôt sorti du champ de vision de son père, il bifurqua vers la colline, à travers le parc, sur les sentiers où il avait joué à Robin des bois durant l'été. Il trouva difficile et douloureux de grimper en canard vers le sommet, aussi déchaussa-t-il ses skis et les porta, mais les planches partaient dans tous les sens et finissaient par s'affronter en une bonne vieille joute d'escrime. Pour améliorer sa prise, il se débarrassa de son sac à dos qu'il cacha dans un fourré. Il monta très haut dans la colline, atteignant la ligne éblouissante du jour, la tempête de lumière du soleil levant couronnant le bleu sombre d'en bas, puis il repartit en sens inverse, glissant dans le matin encore ensommeillé. Il gardait l'équilibre, chevauchait ses skis dans la terreur, la douce terreur de tomber, de se pulvériser les os, de voler… et il volait au-dessus des crevasses. Le froid humide de l'air et la neige granuleuse lui cinglaient le visage et lui gelaient les oreilles. Pour s'arrêter, il se jeta délibérément dans une congère, puis il grimpa de nouveau la colline. Cette fois-ci, il irait jusqu'au sommet, jusque dans la montagne, et il descendrait sur plus d'un kilomètre. Il remonta en haletant, mangea de la neige tellement il avait soif.

« Stoj ! cria une voix. Halte ! »

Mirko regarda autour de lui, mais ne vit rien.

Il se frotta les yeux et, quand il les rouvrit, se retrouva face à plusieurs hommes en tenue de camouflage aux motifs verts et marron qui se confondaient avec les maigres conifères derrière eux, comme s'ils avaient eux aussi été mangés par les pluies acides, ou comme si les arbres dévorés par l'acide avaient commencé à s'animer, à bavarder et à se faire menaçants, se comportant comme des mirages de soldats.

« Qu'est-ce que tu fais ici ? lui demanda un soldat. Tu m'as tellement surpris que j'ai failli te tirer dessus !

— Vraiment ? s'étonna Mirko. Pourquoi auriez-vous fait ça ?

— Jolis skis, où les as-tu trouvés ?

— Ils viennent d'Allemagne. Mon père travaille là-bas.

— Pour les nazis ? Passons un marché : je te donne mon flingue en échange de tes skis et de tes bottes. Ça te va ?

— Pas question, répondit Mirko.

— Comment ça, *pas question* ? Je peux prendre tes skis si je veux. Tu es notre prisonnier. Prisonnier de guerre. Tu ne le sais pas ?

— Prisonnier ? C'est génial, dit Mirko.

— On va tout faire pour que ça le soit.

— Pas de problème, tant que vous me laissez mes skis.

— Mais si on te laisse partir, tu vas skier d'une traite jusqu'au village et dire à tout le monde que nous sommes ici.

— Non, je ne le ferai pas.

— D'accord, on te laisse partir si tu nous rapportes une bouteille d'alcool de prune.

— Et si je ne reviens pas ?

— Je vais te montrer quelque chose. » Le soldat conduisit Mirko jusqu'à un canon monté sur roues et glissa un obus dans le tube.

« Tu vois, il dispose même d'un télescope tellement

puissant que tu peux voir les anneaux de Saturne la nuit. Tu veux regarder ? Montre-moi ta maison dans la vallée. Tu vas voir, quand tu la regardes, c'est comme si tu y étais.

— C'est celle-là, avec le toit vert, annonça Mirko.

— Très bien, il va falloir ajuster la portée. Voilà. Alors, quand tu vas rentrer chez toi, si tu dis à quelqu'un que nous sommes là, on va vous faire sauter. D'accord ?

— Vous m'avez tendu un piège.

— T'es un bon garçon, j'en ai un comme toi à la maison. Il ne t'arrivera rien. Souviens-toi seulement de m'apporter de l'alcool. »

Mirko fit une descente de rêve, soulevant des gerbes de neige à chaque virage à gauche, puis à droite ; les nuages qu'il soulevait se gorgeaient de la lumière du soleil et reflétaient de fugaces fragments d'arc-en-ciel.

Il plut le lendemain, et ce n'était donc pas une bonne journée pour skier, mais, en regardant la montagne, Mirko se dit qu'il neigeait là-haut. Oui, tous les cent mètres, on perd un degré Celsius, et on gagne de la neige. Il voulait grimper sur la montagne, mais pas aujourd'hui. Il lui tardait de voir Bojana, de sentir le parfum de ses joues. Tout en marchant, il regardait la montagne, au-delà du minaret et du dôme de l'église et, pour la première fois de sa vie, il se sentit coupable d'aller à l'école. C'était totalement irresponsable de sa part. Et si les soldats, là-haut, furieux d'être à court de gnôle, bombardaient la ville ? Ils tueraient ses parents, son frère ; leurs obus s'abattraient sans crier gare sur les rues et les tailleraient en pièces. Pendant un instant, il hésita ; évidemment, son devoir était de courir à la maison et de sauver la ville. Ce serait terrible s'ils mouraient tous simplement parce qu'il voulait voir le visage de Bojana. Mais ce serait presque aussi terrible de ne pas le voir.

Au début du cours de maths, il fut tenté de raconter à tout le monde qu'ils étaient encerclés par une armée de Serbes, que les bombes pouvaient pleuvoir d'un moment à l'autre, qu'ils couraient tous un danger mortel, et que leur seule chance de s'en tirer était de trouver de l'alcool de prune et de l'emporter dans la montagne. Il savourait le pouvoir que ce savoir lui conférait. Il ne leur dirait rien, pas tout de suite.

L'air béat, il regardait par la fenêtre. Comme il avait raté une journée, il avait aussi manqué quelques devoirs. Le prof de maths les vérifia et Mirko adopta sa vieille tactique : il avait oublié son cahier à la maison.

« Tu es terriblement étourdi pour ton âge, lui dit l'enseignant. C'est très mauvais, ça ! À mon âge, ce serait compréhensible. Bien, va au tableau et prouve-nous que tu as fait tes devoirs. »

Il demanda à Mirko de diviser 44,29 par 682,91.

Mirko hésitait. Il n'avait jamais fait pareille division et ne savait que faire des décimales. Il se souvint du sifflement dans ses oreilles, mais il avait disparu. Ses genoux s'entrechoquaient et, pour les calmer, il serra les jambes et se tint droit et raide. Toute la classe rigolait. Ils semblaient se réjouir de son impuissance à résoudre le problème. Il tenta de trouver en Bojana un peu de sympathie, mais elle s'était ralliée aux autres pour ce lynchage par le rire.

« D'accord, fais-le sans les décimales, rectifia le professeur. Tu les enlèves, et la proportion reste la même. Vas-y, fais-le ! »

Les larmes, qui brouillaient sa vision, empêchaient Mirko de bien voir. La classe continuait de le railler. Sa frustration était telle qu'il en oublia dans quel sens il devait procéder. De gauche à droite ? De droite à gauche ?

« Va-t'en, ordonna le professeur. Fiche le camp, avant

de te battre avec d'autres garçons. Rentre chez toi et fais tes devoirs. Pas la peine de se demander pourquoi nous sommes en guerre, quand on vous voit tous grandir comme des voyous. Pourquoi vous, les garçons, ne pouvez-vous pas vous rassembler pour faire des maths ? Ou pour jouer aux échecs ? Il y a à peine dix ans, les enfants jouaient aux échecs partout, et maintenant je n'en vois plus devant un échiquier. »

Jusqu'à la fin du cours, Mirko regarda dériver les nuages, le visage brûlant, toujours baigné de larmes. Il s'imaginait se lavant la face dans la neige, la fraîcheur sur ses joues.

Il était assis près du poêle de céramique dans lequel se consumait le charbon ; il y avait juste devant un grand panier tressé rempli de briquettes. Le côté de son visage tourné vers le poêle était chaud, et la légère fumée lui irritait les yeux. La céramique craquait et il se demanda si c'était à cause de la chaleur ; il savait celle-ci capable de faire gonfler certaines choses et d'en faire rétrécir d'autres. Il se demanda quel effet aurait la chaleur sur le roc, et dans quelle mesure le réchauffement de la planète aurait un impact sur les montagnes. Augmenteraient-elles de volume ? Les plus grandes montagnes ne se trouvaient-elles pas toutes près de l'équateur ? Ou était-ce à cause de la rotation du globe ? Ou les deux ? Et pourquoi Mars, qui était un peu plus petite et tournait plus vite que la Terre, possédait un sommet deux fois plus haut que l'Everest ? Cette montagne se trouvait-elle près de l'équateur de Mars ? Il était si absorbé dans ses pensées qu'il ne remarqua pas que le cours avait pris fin. « Regardez notre génie, se moqua un garçon. Que pensez-vous qu'il a dans la tête en ce moment ?

— Il est sans doute en train de calculer combien font deux fois deux ! »

Mirko les entendait, mais ne prit pas la peine de répondre à ces provocations.

Pendant la récréation, il marcha seul. Il essaya de trouver Bojana, mais ne parvint pas à la voir parmi les autres enfants.

« Que cherches-tu, mon ami ? lui demanda Toni, le meilleur joueur de foot de la classe. Ta petite amie ? Viens, je vais te montrer où elle se trouve. »

Il regarda dans la direction que le doigt de Toni montrait, et aperçut Bojana, adossée au vieux châtaignier. Stevo, le gardien de but de la classe, l'embrassait.

« Alors, se moqua Toni, combien font deux et un ? »

Voyant par-dessus l'épaule de Stevo que Mirko la regardait, Bojana ferma les yeux et l'embrassa encore plus vigoureusement.

Mirko ne savait pas comment réagir. Fallait-il s'approcher et se battre avec Stevo, défendre son honneur et son amour, la défendre, elle ? Mais elle avait l'air consentante ; elle passa son bras autour du cou de Stevo et le tira vers elle. Quand la cloche sonna, Stevo s'éloigna d'elle sans un regard pour Mirko, montrant ainsi clairement qu'il ne voulait pas se battre. Elle marchait derrière lui, souriante, les lèvres écarlates, les joues et les yeux pleins de lumière, si cruellement belle que, même à ce moment-là, Mirko la trouva merveilleuse et l'aima.

« Tu sais quoi ? lui lança-t-elle. Nous, on ne l'a pas fait pour de vrai. C'était juste sur les lèvres. Ça ne compte pas. Il faut embrasser avec la langue, profondément, pour que ça compte. Tu viens juste de voir mon premier véritable baiser ! C'est merveilleux, tellement meilleur qu'un simple baiser sur les lèvres. Tu devrais essayer un jour, quand tu seras grand. »

Mirko ne réagit pas. Il resta là, immobile, fixant l'arbre

comme s'il pouvait encore arriver à trouver ce qu'il aurait dû faire. Il ne retourna pas en classe, laissa ses livres là. Sur le chemin de la maison, il était à bout de souffle même s'il marchait lentement.

Dans les rues, les soldats conduisaient des voitures civiles, surtout des Volkswagen. C'était nouveau – à en croire le drapeau qu'ils arboraient sur leur uniforme, il était manifeste qu'il s'agissait là de la nouvelle armée bosniaque. Que savaient-ils de ses amis dans les collines ? Allaient-ils combattre ? Il espérait bien que oui.

À la maison, il vola dans le garde-manger une bouteille d'alcool de prune cachée parmi les bocaux de confiture et les poivrons marinés. La bouteille et les bocaux s'entrechoquèrent, mais rien ne se cassa.

C'est dehors que son père le surprit.

« Tu es trop jeune pour t'intéresser à l'alcool. Qu'est-ce que tu fabriques ?

— J'en ai besoin. Si je me blesse en skiant, je peux nettoyer mes blessures avec ça.

— Ne mens pas, petit voleur. Je vais t'apprendre à chaparder ! »

Et son père, qui jamais ne lui avait donné la fessée, lui tordit le bras, le cassant presque, puis il le battit avec la grosse ceinture western qu'il avait retirée de son jean. Son pantalon lui tomba sur les genoux, et c'est ainsi que, dressé dans ses sous-vêtements blancs, il fouetta le derrière de son fils, étalé sur un tas de bûches de hêtre qui sentaient le pleurote et la terre, odeur magnifiée à travers la neige par les halètements mouillés de Mirko.

« Pleure, petit salopard ! »

Mais Mirko ne pleurait pas. Il serrait les dents ; plutôt mourir que capituler. Il fut frappé par cette phénoménale injustice d'être puni par l'homme qu'il s'apprêtait à sauver. Son père ne savait peut-être pas que son fils était en train de le sauver, mais une chose était sûre, Mirko ne le lui dirait pas. Trop de rancune ! Si son père n'était pas fichu de deviner ses bonnes intentions, s'il avait besoin de vitupérer et d'accuser, alors qu'il aille au diable. Mirko ne pleurait pas, mais les larmes lui brouillaient la vision, et les bûches argentées, et le bonhomme à l'œil vigilant, et toute la cour baignée de soleil éclatèrent en traits de lumière dans la splendeur diamantée de sa douleur. Toute cette beauté le prit au dépourvu et il en vint à accueillir avec délice les coups de langue brûlants du cuir de bœuf sur sa peau.

Sa mère hurla depuis la porte de la maison. « Arrête, mauvaise bête, arrête ! » Elle descendit les escaliers de béton dans ses sabots et poussa son mari. Puis elle porta Mirko dans son lit et utilisa l'alcool de prune pour nettoyer son dos zébré.

« Non, ne fais pas ça, dit Mirko. Je ne saigne pas.

— Mais ton dos est tout strié, comme celui d'un bébé tigre. »

Il resta au lit toute une journée, allongé sur le ventre à cause de son dos meurtri. Il imagina ses camarades de classe qui partaient pour l'école, jouaient, riaient. Les soldats patrouillaient sans doute toujours dans les rues. Les artilleurs patienteraient-ils un jour de plus ? Il s'attendait à ce qu'une grenade explose à tout moment, mais il n'avait pas peur.

Au matin, avant l'aube, il fut étonné qu'aucune bombe n'ait frappé. Mais s'il ne faisait rien, la maison serait rasée. Il prit la bouteille d'alcool presque pleine et ses skis, puis marcha vers la montagne qui bleuissait dans les lueurs crépusculaires. À mi-chemin, il planta ses skis dans un buisson couvert de neige, n'en laissant paraître que les pointes incurvées. Peut-être les reprendrait-il en descendant, si jamais il redescendait.

Quand il arriva au bunker serbe, le soleil avait couvert d'orangé le bleu des pentes, alors que la vallée sommeillait toujours dans une brume indigo. Les soldats furent heureux de le voir arriver avec sa bouteille. Ils la firent tourner et la vidèrent en moins d'une minute. « Le moment est très bien choisi, mon garçon, lui dit un des soldats. Nous avons l'intention de bombarder ta ville, et on s'inquiétait pour toi. »

« C'est tellement chouette de te revoir, dit un autre en lui donnant une bonne tape sur l'épaule. » Mirko grimaça et poussa un grognement.

« Que se passe-t-il ? Tu n'aimes pas qu'on te donne une petite tape affectueuse ?

— J'ai mal, dit Mirko. Je suis tombé en skiant la dernière fois et je me suis blessé.

— Fais voir ton dos. »

Mirko lutta pour garder sa chemise, puis se ravisa. Laissons-les voir, laissons-les comprendre que ma vie à la maison est un enfer. Il retira sa chemise de flanelle, puis son maillot de corps, et frissonna.

« Mon Dieu, dit l'un d'eux, ce n'est pas une blessure de ski, c'est une bonne vieille raclée à coups de ceinture. C'est comme ça que mon père me battait, et vous voyez tout le bien que ça m'a fait ! Pauvre petite chose. »

Les soldats se réunirent et examinèrent les zébrures boursouflées.

« Pourquoi t'a-t-il battu ?

— À cause de l'alcool de prune. Il croyait que j'allais le boire.

— Quand tu vas redescendre, arrête-toi dans un magasin acheter une bouteille d'alcool, d'accord ? Pas besoin de mettre ton père en colère. Tiens, voilà trente marks, et achète-moi du café et de l'alcool de prune.

— Je ne retourne pas là-bas. Je veux me joindre à vous.

— Tu veux combattre ta propre ville ?

— Oui, je leur ai déjà déclaré la guerre. Ils ne le savent pas encore, mais ils ne tarderont pas à l'apprendre.

— Écoute, fiche le camp de la maison deux ou trois jours ; ça les rendra si dingues qu'ils t'aimeront de nouveau. Mais n'en fais pas trop. »

L'artilleur, qui mâchouillait une tranche de lard, l'assit sur ses genoux et lui montra la ville dans le télescope.

À la vue de l'école, Mirko suffoqua. « Allons-y, tirons, dit-il.

— Et si des enfants se trouvaient là ? Tu voudrais les tuer ?

— Je veux détruire le bâtiment. C'est samedi, il n'y a personne, dit-il.

— Qu'en sais-tu ? Peut-être que les femmes de ménage sont en train de nettoyer les escaliers ou quelque chose comme ça.

— J'en doute. Les escaliers n'ont pas été nettoyés depuis une éternité. Ils ne le font jamais.

— Tu ne veux pas attendre lundi ? Ça marcherait mieux, on pourrait tous les avoir !

— Non. Détruisons tout de suite cette satanée école.

— C'est possible que ton souhait soit exaucé. Le capitaine a choisi quelques cibles : l'usine métallurgique, la gare et, oui, l'école. Il pense que l'école pourrait déjà être pleine de soldats à cause des murs épais. Nous sommes capables de viser les fenêtres pour faire exploser l'intérieur. »

L'artilleur appela son second pour qu'il s'occupe des munitions. Le capitaine arriva et hocha la tête. « Oui, c'est une bonne idée, nous avons assez attendu. Allons-y !

— Maintenant, mon garçon, je t'ai déjà appris à utiliser un viseur, alors fais-le. »

Mirko ajusta le viseur sur la grande fenêtre noire du deuxième étage, au centre du bâtiment jaune. Aussitôt qu'il aperçut la fenêtre, il se souvint de toutes les humiliations qu'il avait subies : le prof de maths, les garçons qui l'avaient attaqué, la fille qui jouait les jeux de l'amour, mais qui, il en était sûr, n'étaient en vérité que des jeux de haine. À présent, il allait leur montrer, à elle, à eux, à tous… Jamais plus ils ne se réuniraient dans cette salle, il allait y voir. Le poêle, le tableau noir, il fallait que tout disparaisse. Tous ces salauds pourraient toujours assister à leurs cours dans des caves, sous des tavernes, où ils se délecteraient de l'odeur des toilettes.

L'artilleur à côté de lui inspira profondément et toussa ; son haleine empestait l'ail, alors Mirko essaya de ne pas respirer trop fort, mais n'y réussit pas parce que son cœur battait la chamade et qu'il haletait d'excitation, de désir et d'une certaine appréhension. Il tremblait, incapable de savoir si c'était de peur ou de froid.

Ses dents claquaient, ses oreilles sifflaient, le diapason avait ressuscité dans ses tympans et faisait tinter un *do* très aigu, qui obscurcissait la vallée jaune.

« Tiens, prends les écouteurs, dit l'homme à Mirko.

— Non, je veux vraiment entendre l'explosion.

— Ça déchirerait tes tympans. Mets-les, sois un bon garçon. Tu veux que j'y mette de la musique ? Tu pourrais regarder ton école exploser en écoutant ton morceau préféré. Qu'est-ce que tu aimes le mieux comme musique ? On l'a peut-être. On a Jimi Hendrix, "Machine Gun". J'adorais ces trucs quand j'avais ton âge.

— Les explosions. C'est la musique que je préfère.

— D'accord, tu vas l'avoir. Tu sais, ça fait un moment

qu'on attend ça. C'est comme une sorte d'heureux synchronisme.

— Quel synchronisme ?

— Tu le découvriras en temps voulu. »

Quelques secondes plus tard, une puissante explosion secoua Mirko. Le canon recula, crachant feu et fumée, et le tir fut suivi, dix secondes plus tard, d'une nouvelle déflagration, plus petite celle-là, du côté de l'école. Un son leur revint rapidement, comme un léger écho.

« Encore ! » cria-t-il. Et ce fut la plus merveilleuse des matinées de sa vie. Ses os et même ses dents avaient été secoués de telle manière qu'il en éprouva une sorte de bonheur, de vigueur, du moins pendant un moment, jusqu'à ce que l'effroi ne le saisisse. La terreur le submergea. Elle avait un goût de fumée et de diesel au fond de son nez, qui brûla ensuite sa gorge. Il regarda dans la vallée la colonne de fumée qui ne cessait de grossir, de s'élargir. Et si des enfants s'étaient réunis pour une activité parascolaire, un cours de théâtre, de danse, de chant ? Bojana fréquentait-elle ces classes ? Et s'il avait réduit en charpie ses lèvres merveilleuses ? Il ne la haïssait plus, ne criait plus vengeance. Et s'il était devenu un meurtrier de masse ? Pourrait-il retourner vivre dans cette ville ? Pourrait-il en arpenter les rues comme si de rien n'était et s'inquiéter encore des décimales dans les divisions, de la qualité de la neige, de l'éclat de ses skis ? Se déplacerait-il désormais dans un nuage de fumée de canon qui ne le quitterait jamais ?

Non, il ne reviendrait pas étudier dans la salle des tortures de l'école pour devenir dans quelques années scientifique ou ingénieur. Il allait tout de suite se faire soldat, aller de sommet en sommet, faisant tout sauter sur son passage. Il venait de trouver le meilleur boulot au monde pour un garçon.

Le buste de Tchaïkovski

Ma proposition de voyager seul en Russie a mis toute la famille en émoi.

« On y va tous, a proposé ma femme, Joan.

— La Russie n'est pas sûre pour les enfants, ai-je objecté. Il y a trop de pollution. Un des guides de voyage suggère d'emporter un compteur Geiger et de calculer combien de fois il se déclenche quand on marche dans Saint-Pétersbourg. Les enfants pourraient être victimes d'intoxications alimentaires, les hôpitaux sont dangereux – ils réutilisent les seringues. Et les fenêtres des hôtels sont recouvertes d'un bon centimètre de peinture au plomb toute craquelée.

— Oh, n'essaie pas de m'embobiner. Nous y sommes déjà allés deux fois et nous avons adoré nous balader partout – dans les palais, le long des canaux, dans les musées, durant les festivals, les Nuits blanches –, et les enfants étaient tellement stimulés qu'ils grandissaient à vue d'œil. Et si c'est si dangereux que ça, pourquoi y vas-tu ?

— Eh bien, c'est important d'un point de vue professionnel. J'y rencontrerai beaucoup d'écrivains et d'artistes, j'y glanerai de nouvelles idées.

— Pas question, rétorqua Joan. Tu ne pars pas. Je sais

comment se conduisent les femmes russes. Après le voyage que tu y as fait seul, tu recevais des tas de cartes postales en cyrillique. Qui sait ce qu'elles racontaient.

— Oh, c'était il y a dix ans. Et tout ce qu'elles voulaient, c'était des visas de sortie.

— Et elles étaient prêtes à tout pour les obtenir ?

— Je ne sais pas, je ne les ai pas mises à l'épreuve.

— Non, papa ne peut pas partir, a dit mon fils, Alex. Il n'arrive pas à marcher droit quand il a bu, et il y a beaucoup trop de circulation à Saint-Pétersbourg.

— C'est vrai, a rigolé Joan. Trop de circulation. Je me souviens encore de la fois où tu avais parlé à cette pute en allemand.

— Aucun souvenir de ça…

— C'est exactement ce que je veux dire. »

Je porte sans aucun doute la responsabilité de cette méfiance. Lors de notre premier séjour à Saint-Pétersbourg, Boris, notre hôte, avait été incapable de trouver un restaurant, alors qu'il jurait connaître la ville comme le fond de sa poche. Nous avons fini par nous asseoir à la terrasse d'un bar, près du monument du Chevalier de bronze, et après trois verres de bière locale, j'étais tellement soûl que j'étais sûr qu'ils fortifiaient leur bière avec de l'alcool de grain. J'avais l'estomac vide, j'étais en plein décalage horaire, étourdi par l'alcool et, sans trop savoir comment, je m'étais retrouvé à discuter en allemand avec une femme assise à la table voisine. Elle était avec son petit ami, mais elle l'ignorait… Au bout d'un moment, tout le monde, même Boris, était intervenu pour mettre un terme à notre conversation, mais nous avions continué quand même. « Hé, mon ami, ce n'est pas bien.

— Je sais, avais-je répondu. Mais c'est chouette de parler allemand. Ça fait des années…

— Mais tu es en Russie.

— Je t'assure que je le sais. »

La bière aidant, j'avais dû courir vers les buissons tout près, et Joan, qui en avait aussi descendu quelques-unes et rigolait avec nos voisins de table, était partie chercher des toilettes à l'intérieur. Et c'est à ce moment que son sac avait été vidé de tout son argent, environ quatre-vingts dollars.

« La femme et son copain avaient vidé ton sac et volé tout ton argent, ai-je rappelé à Joan. Je pense qu'elle n'avait parlé avec moi que pour le fric.

— Et toi, tu lui avais parlé pour quoi ?

— Simple égarement de poivrot.

— Il y avait plus que ça, mais la partie poivrot est aussi préoccupante.

— Je suis d'accord. Je vais travailler là-dessus. »

La soirée avait été agréable malgré tout. En marchant, je me tenais maladroitement aux murs, et nous avons débouché dans Nevski. C'était pendant les Nuits blanches et, pourtant, à deux heures du matin, il faisait noir. Pour moi, les Nuits blanches sont de véritables attrape-touristes, comme presque tout à Saint-Pétersbourg. Alex me forçait à avancer, en riant et en me traitant de stupide pochard.

La discussion n'a pas tourné à mon avantage, et il a été décidé que j'emmènerais toute ma famille, que je serais un bon père et que je boirais à peine. Et j'ai effectivement été un bon père aussitôt arrivé là-bas. J'ai accompagné Alex au concert et au musée, tout en donnant mes ateliers d'écriture à l'université Herzen. Je n'ai pas réussi à en faire autant pour ma fille, Tina, parce qu'elle est encore trop petite pour aller au concert. Mais elle a pleuré pour aller au ballet et s'est montrée inconsolable.

Tina a toujours dansé. Avant même de tenir debout, elle s'agrippait à la table de la cuisine et se trémoussait au rythme de la musique à la radio. Quand elle a appris à marcher, elle en est vite venue à préférer se déplacer sur la pointe des pieds. Ses talons touchaient rarement le sol. Je ne sais pas où elle avait pris cette façon d'avancer, si c'est après avoir vu une cassette de ballet, ou après avoir marché sur du gravier ou d'autres débris qui jonchent parfois le sol de notre maison..

Je voulais acheter des billets pour *Le Lac des cygnes*, mais le vendeur nous assura qu'on ne pouvait pas faire confiance à Tina, trop petite pour rester tranquille pendant trois heures. Un argument que je comprenais. Tina ne se gênait pas pour faire des crises épouvantables et extrêmement bruyantes en public. Ma femme et moi lui avons donc patiemment expliqué que nous ne pourrions pas voir *Le Lac des cygnes* avec elle. Qu'elle parlerait probablement trop et trop fort. « Je ne crierai pas, a-t-elle promis, je chuchoterai.

— Mais on ne sait jamais ce que tu vas dire. Il t'arrive même de jurer. »

Quand elle piquait une crise, Tina était capable de proférer une brochette de jurons si immondes que je ne pourrais pas les reproduire sur cette page. Ça ferait vraiment tache dans un théâtre. Elle a appris ces grossièretés auprès des amis plus âgés d'Alex, pas de moi. Du moins j'aime à le penser.

« Non, je ne dirai pas de gros mots et je me tiendrai tranquille, a-t-elle promis.

— Comment peux-tu en être sûre ?

— Je dormirai. Laisse-moi y aller. Je ne parlerai pas, je dormirai. »

Alex s'est déjà endormi pendant un concert du *Clavier bien tempéré* de Bach remarquablement interprété par Vladimir Feltsman. C'est comme ça que Tina a compris qu'on pouvait dormir au concert.

Entendre Tina défendre sa cause avec tant d'ardeur m'a donné envie de l'emmener au ballet. Mais quand j'avais été voir le *Roméo et Juliette* de Sergueï Prokofiev avec mon fils, je n'avais vu aucun spectateur de moins de six ans au théâtre Marinsky. Inlassablement, elle dansait dans l'appartement, sautillant et bondissant sans cesser de crier en français *une, deux, une, deux.* Lorsque j'ai acheté des billets quelques jours avant le spectacle, j'ai essayé de me faire passer pour un Russe afin de payer ce que paient les Russes plutôt que le tarif des touristes, et, cette fois, j'ai réussi. Chacun de nous pouvait entrer pour dix dollars au lieu de cinquante. C'était la première fois que je passais le test, succès que j'attribuais à mon épuisement après trois semaines en Russie. Ayant l'air malade, je pouvais passer pour un Russe. Mais la vérité, et c'est tout à mon honneur, c'est plutôt que les quelques mots que j'avais rabâchés jusqu'à l'écœurement sonnaient enfin suffisamment russe.

Ce n'est pas sans appréhension que nous avons pris la route du théâtre. Ma femme était avec Alex, et moi avec Tina, puisque nous avions deux paires de billets. Nous avons quitté l'appartement que nous occupions provisoirement, sur les rives de la Neva, côté Petrograd, et j'ai hélé un taxi pirate dont le pare-brise était endommagé et où les câbles reliant la radio aux haut-parleurs passaient pardessus les sièges. Le chauffeur ne nous a demandé que vingt roubles, soit environ soixante-quinze cents. Le prix normal aurait été de quarante ou cinquante roubles, et certains taxis grimpent à cent dès qu'ils flairent en vous l'étranger. C'est pourquoi je me fais un point d'honneur de parler russe. J'imagine que, avec mon accent slave de Slovénie, assez proche de l'accent russe, les chauffeurs de taxi pensent que je ne viens pas d'un pays riche. J'étais prêt à monter jusqu'à cinquante roubles. L'homme avait l'air fatigué et triste, le visage creusé de rides profondes. Très vite, nous nous sommes retrouvés coincés sur le pont Nevski. La voiture a commencé à surchauffer, et ça ne cessait d'empirer. Foutue bagnole, a pesté le chauffeur. J'étais inquiet pour lui, et pour sa voiture, et pour nous, qui risquions de rater le ballet. De la fumée s'est échappée du capot. Je n'ai pas eu à lui demander d'arrêter. Nous sommes sortis. Désolé, m'a-t-il dit. Moi aussi, ai-je répondu. Il s'est assis là, au milieu du pont, dans son propre nuage, perdu dans la fumée bleue des autres voitures. La puanteur de caoutchouc brûlé émanant de quelques guimbardes en surchauffe, mélangée à la fumée chargée de plomb, à l'huile suintant des vieux camions militaires aux énormes pneus désormais conduits par des civils, nous retournait l'estomac. Dégueu, dégueu, dégueulasse, la fumée sent dégueulasse, a protesté Tina. Nous avons traversé le pont et cherché l'origine de cet embouteillage. La circulation s'écoulait lentement, mais sûrement, en dépit du feu rouge. Apparemment, la file de voitures venant d'une rue refusait de laisser passer celle qui venait d'une autre direction, au point que l'une et l'autre entraient presque en collision, mais une des deux artères maintenait davantage de pression et se montrait plus audacieuse, de sorte qu'elle s'imposait à l'autre dans cet étrange duel urbain. Nous avons arrêté un autre taxi. *Sorok rublei.* Nous avions encore le temps d'avaler un morceau. Installés dans un café en sous-sol, près de la rivière Fontanka, nous avons commandé des *blinis* et des *pelmeni* que nous avons avalés rapidement avant de courir vers le théâtre. Je portais Tina sur mes épaules. Plus vite, dada, criait-elle. Elle était vêtue d'une robe rouge. Les gens lui souriaient. On voit rarement un enfant sur les épaules de ses parents à Saint-Pétersbourg. Et il est rare d'en apercevoir avec des hommes. Marina, la guide engagée par notre groupe de conférenciers, m'a déjà félicité parce que je traînais ma fille partout. C'est comme ça que je m'asseyais sur les épaules de mon père, m'a-t-elle dit. Les hommes ne se marient plus de nos jours et, quand ils se marient, ils ne veulent pas d'enfants, ils dépriment, prennent la fuite, se soûlent à mort. C'est ça, la vie de famille en Russie aujourd'hui. J'étais heureux et fier, un joli lot de consolation pour la vive douleur que m'avait laissée Tina dans le cou.

Nous sommes arrivés au Marinski dix minutes avant le début du spectacle, et le préposé aux billets nous a laissés entrer sans faire d'histoires. Une pancarte annonçait : « Pas de photos durant la représentation ». Les haut-parleurs ont craché une annonce réitérant la consigne, mais tant de touristes portaient autour du cou un appareil photo, comme un troisième sein, que l'avertissement semblait vain.

Tina et moi nous sommes assis dans une loge latérale. « Où sont-elles, papa ? m'a-t-elle demandé.

— Qui ?

— Les ballerines.

— Derrière ce rideau rouge.

— Que font-elles ?

— Elles enfilent leurs chaussures roses. »

Elle trépignait d'impatience. Je l'ai regardée fièrement et l'ai serrée dans mes bras.

« Papa, tu me caches la vue. »

Les rideaux ont tremblé comme s'ils allaient s'ouvrir. Placés sur le côté, nous devions tendre le cou pour voir toute la scène. J'avais devant moi un obstacle assez fascinant. Nous partagions la loge avec une jeune femme vêtue d'un chemisier de soie blanche, d'un chandail de cachemire noir, et portant autour du cou des perles qui brillaient dans l'obscurité et reflétaient la lumière dans un halo pourpre et turquoise. Ses cheveux étaient d'un noir brillant, tombant de l'autre côté de son visage de sorte que son oreille et sa peau blanche m'apparaissaient de profil, et parfois sa chevelure tombait de notre côté, comme une petite chute. Avant le spectacle, elle a penché la tête sur son bras gauche, posé sur le velours de la balustrade, et écrit une lettre à l'encre bleue, en alphabet russe, penché et carré, dans un mouvement harmonieux du poignet et de la main. Le bouton au-dessus du poignet de son chemisier de soie lançait parfois des éclairs roses et grenat, reflétant le velours rouge qui nous entourait, se l'appropriant et en disséminant abondamment sa propre variante. Une lettre ! Qui écrivait encore des lettres ? Comme le ballet, cette vision avait un côté si nostalgique qu'il s'en dégageait quelque chose de suranné, et pourtant c'était là, cela m'absorbait si intensément que j'ai cessé de me tordre le cou par crainte de ne pas voir les danseurs.

Je me suis surpris à l'observer, et j'en ai été gêné. Mais qu'est-ce que tu fais ? Regarde la scène.

J'ai regardé Tina. Ses yeux pleins de paradis. La joie innocente sur ses joues empourprées, rayonnantes. Et si calme ! Elle m'a murmuré quelque chose si doucement que je n'ai pas réussi à l'entendre. Ce n'était qu'un souffle chaud dans mes oreilles. Plus que tout ce que les mots pouvaient dire. J'étais heureux, elle était heureuse. Je me suis un peu enfoncé dans mon siège, et là, de nouveau, le cou de ma voisine.

Peu importe l'âge de cette fille, elle était vraiment ensorcelante. En était-elle consciente ? Comment aurait-elle pu ne pas l'être ? Ses mouvements, l'écriture de la lettre, tout était fait avec tant d'ostentation qu'on aurait dit qu'elle se mettait en scène, mais pourquoi aurait-elle fait cela ? Décrivait-elle le moment présent, exprimant sa hâte de voir le ballet tandis qu'à côté d'elle un étranger d'âge moyen s'était assis avec sa gamine, toute pimpante dans sa robe de soie rouge ? Et, bien sûr, la fille jetait à la dérobée des regards vers Tina, et un sourire s'attardait sur son visage. J'avais envie de lui demander, en russe, ce qu'elle écrivait, mais le silence me semblait ici plus subtil que la conversation, et plus éloquent. Elle était consciente de notre présence, mais, bien évidemment, ma fille captait davantage l'attention que moi. Tina lui ressemblerait-elle dans une dizaine d'années, assise seule dans un théâtre ? Pourquoi ? Une fille pareille ne devrait-elle pas être en train de faire les magasins ou de se soûler sous un pont avec des copains ? N'était-ce pas un gaspillage de jeunesse et de beauté que de courir les reprises du *Lac des cygnes* ? Et *reprise* semble être ici le mot adéquat, car, durant le premier entracte, Tina m'a dit : « Papa, c'est le meilleur film que j'aie jamais vu.

— Ce n'est pas un film, ai-je répondu. Ce sont de vraies personnes. Si tu leur jetais un caillou, ça les blesserait. Elles pourraient même crier. Elles sont vraiment là.

— Oh, a-t-elle dit, il n'y a pas de cailloux ici.

— Je veux dire que ces gens-là sont réels. Ce ne sont pas juste des gens qui font semblant.

— Tu veux dire qu'ils ne font pas semblant d'être des cygnes ? Ce sont de vrais cygnes ? Moi, je trouve qu'on dirait des gens, papa.

— Ça va, t'as gagné ! »

Les lumières se sont rallumées pour l'entracte, et je voulais aller retrouver Joan et Alex. J'ai été tenté d'inviter notre voisine, mais elle semblait trop heureuse de ressortir son papier et de se remettre à écrire. Qu'y avait-il de nouveau à raconter ?

Les entractes dans les théâtres russes peuvent être interminables. Celui-ci a duré plus d'une demi-heure. Les gens buvaient du cognac, mangeaient des sandwiches au caviar rouge tartinés d'une impressionnante quantité de beurre, déambulaient nonchalamment. Quelques femmes portaient leurs fourrures même s'il faisait chaud, mais la beauté importe plus que tout, la température on s'en fiche. Beaucoup de spectateurs étaient jeunes, contrairement à ce que l'on voit dans de tels événements aux États-Unis. Et pourquoi pas ?

Deux ou trois entractes festifs de ce genre vous assurent une excellente soirée. Il suffit de s'asseoir autour d'une table ronde pour se retrouver bien vite à discuter avec un inconnu. Lors d'un autre spectacle, Alex et moi avions ainsi rencontré une famille du Pakistan qui nous avait invités à leur rendre visite et à explorer les contreforts du K2, le deuxième sommet du monde dont on a déjà cru, pendant deux semaines, qu'il était le plus haut. Étonnant de voir à quel point la culture classique peut contribuer à ce climat de sérénité en favorisant la discussion avec de parfaits étrangers. Les Russes savent comment perpétuer les traditions. Moi qui n'avais jamais compris pourquoi le théâtre, le ballet et la musique classique russes étaient florissants, je venais de tout saisir en un instant. L'entracte ! Le cognac. La parade. Surtout en hiver, quand il est impossible de sortir flâner, vous le faites à l'intérieur. Le long de la côte Adriatique, comme sur tout le pourtour méditerranéen, la coutume veut que les gens sortent en soirée dans les rues et s'y promènent.

Mais, ici, tout se passe dans les espaces clos. C'est leur vision d'une méditerranée, et, du coup, soudainement, leur nature se fait plus chaleureuse. J'ai pris un verre de cognac. Puis Tina et moi avons retrouvé Alex et Joan. Après avoir englouti quelques sandwiches au saucisson, les enfants sont partis se courir après. « C'est chouette, a dit Joan. J'adore ça. »

Quand la sonnerie a retenti, nous avons regagné notre loge, et notre voisine a rangé sa lettre. « D'où venez-vous ? m'a-t-elle demandé.

— Des États-Unis, de Chicago.

— Vous êtes de la mafia ? »

J'ai éclaté de rire.

« C'est pourtant ce que les gens pensent de nous, maintenant, a-t-elle ajouté. Mais c'est vous qui avez inventé la chose !

— Je vous assure que je n'y suis pour rien. Êtes-vous de Saint-Pétersbourg ?

— Non, de Toko. Oh, vous ne connaissez sans doute pas. C'est au fin fond de la Sibérie.

— Tombe-t-il beaucoup de neige là-bas ? (J'ai posé cette question pour mon fils, qui est dingue de neige et qui cherche tout le temps sur Yahoo les villes les plus froides, celles qui reçoivent le plus de neige.)

— Comment se fait-il que vous parliez si bien l'anglais ? ai-je enchaîné.

— J'ai fait une année de lycée au Texas, dans le cadre d'un échange étudiant. »

Lycée ? J'étais surpris. Elle était donc plus âgée que je ne le pensais.

« Oui, j'ai terminé maintenant et j'entre à la faculté de médecine l'automne prochain. J'ai déménagé ici pour venir faire mes études, je vais vivre chez ma tante. C'est elle, là-bas, dit-elle en désignant une loge de l'autre côté du théâtre. »

On a tamisé les lumières. Ainsi, nous avions là un futur médecin, peut-être une chirurgienne. Ce n'était pas une gamine de Sibérie, mais une jeune femme superbe. Elle a tourné vers moi un visage rayonnant pendant que j'assimilais tout ce qu'elle venait de m'apprendre.

« Est-ce que je vous empêche de voir ? » m'a-t-elle demandé tandis que j'admirais son profil, les lignes droites d'un grand front aristocratique et d'un nez fin et les lignes galbées des lèvres et du menton.

« Non, ai-je répondu.

— Je vais vous dégager la vue. » Elle a penché la tête vers la salle et tourné le visage vers la scène. Ses cheveux sont tombés par-dessus la balustrade, dévoilant son long cou dans toute sa nudité. Je pouvais ainsi voir la scène par-dessus sa tête et les bonds du cygne, un danseur appelé Kim, absolument spectaculaire avec ses couilles bien en relief, ses muscles bien dessinés et sa prodigieuse habileté à voltiger. Les ballerines, qui portaient au premier acte de longues robes blanches, revinrent vêtues de tutus duveteux, et on comprenait très bien, en les voyant tournoyer, qu'aucune d'entre elles ne soumettait son corps au diktat très en vogue de la sous-alimentation. Elles étaient tout de cuisses et de chair. Elles se contorsionnaient, faisant saillir tour à tour différents groupes de muscles.

Ana avait retiré son pull de cachemire, et sa silhouette se dévoilait à la vue, comme une créature émergeant d'un cocon de brume blanche.

Tina était totalement sous le charme. Une fossette se creusait dans sa joue gauche alors qu'elle regardait avec adoration. Elle a soupiré et m'a collé un baiser sur la joue, témoignage charmant de sa reconnaissance pour ce moment de pur bonheur.

Ana s'est calée dans son fauteuil et a pris ses jumelles de théâtre, faites d'ivoire, ou d'un plastique qui imitait l'ivoire. Quelques minutes plus tard, elle les a offertes à Tina. Je lui ai montré comment s'en servir, avec l'aide d'Ana, penchée au-dessus de mes jambes, effleurant mes avant-bras. L'idée m'a traversé l'esprit que ce serait merveilleux si Ana faisait du baby-sitting. À moins qu'elle ne soit trop distinguée pour ça ? Peut-être était-elle riche. Peut-être son père était-il un de ces magnats du pétrole qui faisait des affaires avec le fils d'Eltsine ?

J'ai emprunté, moi aussi, les jumelles de théâtre. Où regarder ? Les fesses tendues du danseur vedette ? Non, merci ! Et la ballerine ? D'accord, ça ne me dérange pas. Où que je regarde, des jambes superbes. À quoi ça sert de regarder ? D'accord, penser au sexe est trop primaire, j'en conviens, mais alors, pourquoi ces filles sont-elles aussi jolies, aussi (s)exposées ? L'art est bien sûr une sublimation de la sensualité, mais il s'agissait là de pure sensualité. Et il y avait ma voisine... Je lui ai délicatement touché l'épaule pour lui rendre ses jumelles. Elle les a mises sur son nez un moment, puis les a tendues de nouveau à Tina. Tina aimait bien les retourner du mauvais côté, de sorte que la scène paraissait beaucoup plus loin.

La joie de Tina offrait un spectacle merveilleux. Elle avait trois ans et regardait un vrai ballet. J'espérais bien que cela n'aurait pas d'effets nocifs. Ne serait-ce pas épouvantable si elle voulait devenir ballerine ? Trop de travail. Et je ne suis pas sûr d'aimer l'idée que de vieux dégueulasses de mon espèce lui regardent l'entrejambe grâce à leurs jumelles de théâtre.

Encore un entracte. Nous avons fait quelques pas avec Ana. Bizarrement, Tina semblait ne pas la remarquer, sans doute parce qu'elle n'était pas ballerine. Tina bondissait sur la pointe des pieds, virevoltait et faisait le grand écart sur la moquette. Quelques spectateurs se sont arrêtés, hilares, et ont applaudi sa petite démonstration. Tina retenait l'attention de tous, la mienne comprise, aussi n'ai-je pas vu Ana s'éloigner. Une minute plus tard, je l'ai aperçue de dos, tenant par la main une femme entre deux âges à la chevelure argentée, montant d'un pas rythmé la volée de marches au-dessus de nous.

Tina et moi avons retrouvé Joan et Alex autour d'une table ronde. « Devine quoi, ai-je dit à Alex, nous sommes assis avec une Sibérienne. Il fait – 40 °C presque tout l'hiver, et ils ont un mètre de neige au sol.

— Où est-elle ? a-t-il demandé.

— Là », ai-je dit en la montrant dans une file d'attente. Elle saisissait un verre de vin. « C'est juste une écolière, ai-je ajouté pour Joan, comme pour m'excuser. Elle a peut-être seize ans. Potentiellement une baby-sitter.

— Elle ne le fera pas.

— Qu'en sais-tu ? Je ne lui ai pas encore demandé. »

Joan a ri. « Non, je ne veux pas qu'elle le fasse, et je suis sûre qu'elle ne le voudra pas non plus.

— Ça ne t'impressionne pas, la neige sibérienne ? » ai-je lancé à Alex.

Comme il ne répondait pas, j'ai changé de sujet. « Tu aimes le ballet ?

— Ça va, mais le combat à l'épée était mal fichu. J'ai trouvé celui du *Roméo et Juliette* de Prokofiev bien meilleur. Et en plus Prokofiev a plus de basses et de percussions – drôlement plus excitant ! »

À la sonnerie, Tina et moi avons regagné nos places. « Tu es sûre que tu peux encore tenir le coup ? lui ai-je demandé.

— Oui. Je parlerai pas. »

Il n'y avait pratiquement pas d'autres enfants. Il y en avait eu un dans la loge d'à côté, mais il riait et poussait des cris, et ses parents avaient dû le traîner dehors. Il n'avait pas reparu depuis. L'autodiscipline dont faisait preuve Tina était donc remarquable. Elle s'est assise sur mes genoux et a regardé avec émerveillement l'image mouvante d'un cygne se dessinant sur un lac miroitant. Puis les ballerines sont entrées, et Tina a souri béatement. J'aurais voulu être capable d'apprécier à ce point quelque chose. J'observais le visage d'Ana dont les lignes nettes se détachaient sur l'arrière-plan floconneux.

À la fin, une fois achevée la trop longue ovation, Ana m'a dit : « J'ai aimé parler avec vous comme si on se connaissait depuis des années. Voudriez-vous me donner votre adresse électronique ?

— Oh, je serais ravi de correspondre avec vous », ai-je dit. Je me suis assis à côté d'elle et j'ai déchiré une page du programme où j'ai inscrit à la hâte mon adresse courriel, puisque je sentais toute proche la présence de Joan et d'Alex. De quoi avais-je l'air, assis à côté d'elle, en train de lui donner mes coordonnées ?

« Je peux aussi vous donner la mienne », m'a-t-elle dit.

Je me suis retourné.

« Papa, allons retrouver maman », nous a interrompus Tina.

J'ai vu Alex courir dans le couloir menant à notre loge.

« J'aurai la vôtre quand vous m'écrirez », ai-je coupé court.

Je suis parti avec Tina, et Ana est restée derrière, rangeant ses jumelles dans leur étui. Alex et Joan nous attendaient à l'extérieur de la loge. « Qu'est-ce qui t'a pris tant de temps ? a demandé Joan.

— C'était merveilleux, n'est-ce pas ? ai-je dit.

— Oui, un peu long, mais charmant, a répondu Joan.

— Qu'est-ce que c'était chiant ! a ajouté Alex. Tchaïkovski n'est pas aussi bon que Prokofiev.

— Je suis d'accord, ai-je admis. Deux actes auraient suffi.

— Un seul aurait suffi. »

Dans le grand escalier, nous avons rencontré des amis qui enseignaient aussi à Herzen, accompagnés de leur fils. J'étais impatient de les retrouver. Nous étions immobilisés au milieu de la foule qui descendait l'escalier recouvert de moquette. « Allons prendre un dernier en-cas », ai-je proposé à Tom.

J'ai regardé à gauche, et Ana était là, un peu plus loin dans la foule, souriant et agitant la main.

Je lui ai rendu son salut.

Cela a créé une cassure dans la conversation que nous avions avec nos amis. Ana a de nouveau fait signe de la main, et je ne savais pas comment l'ignorer.

Il m'a fallu une seconde pour retrouver mes esprits, alors que nous marchions vers l'Idiot, sur les bords de la Moïka, à un coin de rue de l'endroit où on avait tiré sur Raspoutine avant de le noyer dans la rivière.

Peut-être aurais-je dû prendre moi aussi son adresse électronique, juste pour être sûr, me suis-je dit. Même une fois assis à me régaler d'un bortch et d'un plat de champignons, de pommes de terre et de fromage, je n'arrivais pas à me concentrer. Le profil d'Ana se superposait à la scène, l'obscurcissant totalement. Pourquoi n'arrivais-je pas à me reprendre ? Cela ne rimait à rien, ces images de chatte sibérienne. Il fallait que j'arrête d'y penser. Mais je n'ai plus cessé d'y penser ! Et j'en suis même arrivé à me demander si je désirais vraiment que ça s'arrête, ou si je ne le pouvais tout simplement pas tellement l'enchantement que me procuraient ces images me comblait. J'ai tenté de ramener le phénomène à une banale intoxication à la beauté. J'ai avalé trois vodkas l'une après l'autre. À l'Idiot, chacun a droit à un verre gratuit. J'ai bu les vodkas de tout le monde, mais je n'étais pas soûl.

« Il se fait tard, a dit Joan. Rentrons. » Dehors, le dôme doré de la cathédrale Saint-Isaac était toujours baigné de la lumière d'un soleil disparu, tandis que, au milieu des immeubles aux pierres noircies, nous étions plongés dans les ténèbres, avec en contrebas la Moïka et, sous nos pieds, les mauvais esprits de Raspoutine, riant dans la pénombre. Non, en fait, rien de si dramatique ni d'éthylique.

Le lendemain, je suis allé voir Boris dans sa chambre d'hôtel. Je l'ai réveillé. Il a gratté son torse velu, s'est étiré, a bâillé, puis m'a montré *Infinite Jest*… « Génial ! » m'a-t-il dit.

Je lui ai raconté dans les grandes lignes ma rencontre au ballet.

« Oublie ça, mon ami. Ne fais rien avec elle.

— D'accord. Peut-être devrais-je juste écrire un roman.

— Un roman ? Tout au plus un poème ! a-t-il répondu. Pas très impressionnant. On a déjà lu tout ça dans *Chambre obscure.* Toute la mauvaise poésie est faite de moments semblables.

— Je sais, ça a déjà été fait, ai-je admis. Souvent, et bien avant *Chambre obscure.*

— Alors, à quoi bon s'obstiner ?

— Tu sais, ça a déjà été fait, aussi, ce type d'objection.

— Évidemment, puisque c'est le bon sens même.

— C'est que, tu vois, un thème apparaît, puis il est repris. Regarde les *Variations sur un thème de Paganini,* de Brahms. On peut dire que ça avait déjà été fait, mais je suis tellement heureux qu'on l'ait fait de nouveau. Tu n'as jamais été complètement obsédé par une beauté ?

— Bien sûr, tout le monde est passé par là. Mais je m'endors, et ça s'en va. Il faut faire preuve de maturité. » Boris cita un autre exemple de métafiction que j'étais censé admirer. « Déjà fait aussi, ai-je répliqué. J'en ai marre de la métafiction.

— D'accord, d'accord », a-t-il concédé.

Deux jours plus tard, après une très mauvaise nuit, je suis parti à pied vers Herzen et le café Idealnaya Chashka, mais avant, je voulais m'arrêter au cimetière.

En voyant une interminable file s'allonger de chaque côté de l'entrée, j'ai eu peur de ne pas pouvoir passer, mais tous ces gens attendaient devant le monastère Saint-Alexandre-Nevski. « Que se passe-t-il ? » ai-je demandé. D'après ce que j'ai cru comprendre, il y avait là les os d'un saint grec du IIIe siècle, et ces gens faisaient la file dans l'espoir d'être guéris. Étaient-ils tous malades ? Il y avait au moins quatre mille personnes, certaines marmonnaient des prières, d'autres fumaient, d'autres encore bâillaient. Assez de monde pour déclencher une révolution, ou pour y mettre fin.

J'ai longé une file jusqu'au portail de fer, jouant du coude pour avancer.

Une fois mon entrée payée, au tarif touriste, je suis passé devant les chats que je connaissais. « Koshka », ai-je dit au gros matou tigré avant de le caresser. Sur ma droite, j'apercevais le buste de Dostoïevski en bronze noirci sur sa pierre tombale. Pas de croix, mais sa propre image. Était-il un dieu pour lui-même ? N'aurait-il pas préféré une croix ? J'ai longé l'enceinte du cimetière vers le buste de Tchaïkovski.

Et elle était là, assise sur la pierre à côté de la tombe de Borodine, serrant ses genoux contre sa poitrine, toute vêtue de bleu. Étonnant ! Comment était-elle arrivée là ? M'avait-elle écrit ? Avions-nous préparé cela ?

Alors que je me dirigeais dans sa direction, elle s'est levée et, sans plus de cérémonie, a ouvert les bras et m'a donné un baiser. Elle ne décrochait pas son regard du mien, et ses pupilles étaient dilatées, réduisant d'autant le cercle bleu qui les entourait. Sa bouche avait le goût du caviar rouge, salé, et, par osmose, des particules de moi sautaient allègrement de ma langue vers la sienne. Franchement, ne serait-il pas plus simple de manger du caviar ? Pourquoi faisons-nous cela, me suis-je demandé. Soudain, elle a commencé à glousser et a reculé.

« Quoi, qu'y a-t-il de si drôle ?

— J'ai toujours voulu embrasser un Occidental. Voilà, c'est fait !

— C'est absurde. Vous n'avez jamais eu l'occasion de le faire au Texas ?

— Non, là-bas, je n'ai embrassé que des Bulgares. Nous étions toute une clique.

— Et alors, c'est comment d'embrasser un Occidental ?

— C'est comme embrasser un Russe. Aucune différence. Je m'attendais à mieux. Je ne sais pas pourquoi, peut-être parce que vous avez un goût de kiwi. »

J'ai avancé la main pour toucher sa chevelure bleu-noir, mais n'y suis pas parvenu. J'ai continué d'allonger le bras et j'ai perdu l'équilibre alors que ma vision se teintait de vert et s'embrouillait. J'ai respiré profondément et, bien que j'eusse recouvré la vue, elle avait disparu. Je me suis retourné et l'ai aperçue qui s'éloignait en sautillant, dépassant Moussorgski, puis Borodine, et ainsi de suite jusqu'à Dostoïevski. Je restai seul avec le sombre buste de Tchaïkovski en marbre blanc, et rien entre lui et moi. Rien de tout cela ne l'intéressait. Il se contentait de froncer les sourcils de son air digne, pensant à qui sait quoi, à de jolies notes, au David de Michel-Ange et à son torse parfait qu'il projetait peut-être dans les airs et faisait voltiger. Ne tirait-il pas avant tout son inspiration de la beauté, pas de celle des jeunes filles, mais des garçons ? Au milieu de ce froncement, les sillons ne conduisent peut-être pas à des pensées profondes, mais aux images obsessionnelles, récurrentes, d'un profil, de la ligne d'un nez, du galbe d'une lèvre.

En réalité, alors que la rencontre du théâtre avait vraiment eu lieu, celle du cimetière n'a jamais existé ; pourtant, je suis allé me balader au cimetière. J'ai imaginé la futilité d'une rencontre en ce lieu en faisant crisser le gravier de marbre blanc des poussiéreux sentiers du cimetière. J'avais encore cet arrière-goût salé dans la bouche. Ce qui ne prouvait pas l'existence d'Ana. Le sel venait de ma chair ; j'ai craché un jet de salive rougie qui a teinté de rose le gravier blanc. La fatigue, combinée à l'aspirine, m'avait fait saigner. J'ai fermé les yeux. Aucune image dans ma tête. Pas de cheveux noirs contrastant avec une peau blanche et des yeux lumineux. Je ne pouvais pas me rappeler à quoi elle ressemblait. Peut-être aurais-je dû aller remercier le saint grec de m'avoir fait revenir à la raison. Il m'aurait aussi fallu toucher ses os m'assurer la guérison de mes dents.

Toute mon obsession autour de cette image est venue des pirouettes et des tourbillons du ballet, ballet dont j'ai gardé de vagues impressions qui ont duré juste assez longtemps pour m'apporter la preuve de ma folie. Tina, par contre, en a gardé des impressions très précises jusqu'à maintenant, des jours après. C'était son soir de sortie, pas le mien. Je la regarde et j'admire combien elle est légère quand elle sautille, et comme elle sourit avec une fossette, et combien elle irradie. Elle danse, crie, une, deux, trois, avant de tomber en tas sur le sol, comme si elle ne pesait rien, tout de plumes, et de se relever comme un cygne.

Le pont sous le Danube

La prière pour la paix dans les Balkans venait de prendre fin, à cinq heures moins le quart du matin, et Milka et Drago Zivkovic repartirent chez eux, à Novi Sad, empruntant les rues étroites et joliment pavées de la rive droite, du côté de Petrovaradin, celui où normalement la vieille forteresse était tout illuminée. Mais là, seule une énorme masse noire se détachait, qui occultait la lueur bleue pointant au-dessus de l'horizon, à l'est. Ils voyaient à peine les pavés de pierre jaune parce qu'on prenait ici très au sérieux les sirènes annonçant les raids aériens, et que toutes les lumières étaient éteintes.

« Crois-tu que c'est une bonne idée de se retrouver dans la rue à cette heure ? demanda Milka.

— Pas vraiment, non.

— On aurait peut-être dû continuer de prier jusqu'à l'aube.

— Des gens se sont endormis au milieu des prières, et je ne pense pas que les Rankovic ont assez de place pour que nous restions tous là. Alors, c'est ce que nous avions de mieux à faire.

— J'ai peur quand même.

— Même si le Seigneur nous dit, Ne craignez rien de

ceux qui tuent le corps, mais ne peuvent tuer l'âme ? Et malgré la précision des bombes de l'OTAN ?

— C'est précisément ce qui m'inquiète. Nous sommes censés passer devant le parlement de Voïvodine. »

Ils arrivaient maintenant au vieux pont de Varadin. Une lune d'argent pareille à une tranche de melon brillait parfois entre les nuages, et les vagues dans la rivière répondaient en faisant miroiter leurs dents bleues.

Milka s'arrêta un instant pour contempler la beauté de la rivière dans la maigre lueur. Elle n'avait jamais vu la rivière sous la lumière naturelle de la nuit. En se retournant, elle aperçut la silhouette du château, dans les tons orangés, qui se détachait sur le ciel bleu sombre. La vieille ville avait l'air de ce qu'elle était deux cents ans plus tôt. Le monde ne serait-il pas merveilleux sans électricité ? Pourquoi ces Serbes de Croatie s'étaient-ils mêlés des affaires de la nature en trouvant le moyen de contrôler et de distribuer l'électricité ? Comment Tesla avait-il osé jouer avec la puissance de Dieu – l'électricité ne Lui appartenait-elle pas ? Elle-même était fière de venir de la région de Lika, dont Tesla était originaire, et elle se demanda s'il croyait en Dieu ou si c'est le diable qui l'avait guidé.

« Pourquoi t'arrêtes-tu ? lui demanda Drago, impatient. Je pensais que tu avais peur et là, tu traînes et tu flânes dans la rue. Il vaudrait mieux... »

À cet instant précis, il y eut un jaillissement de lumière suivi d'une explosion, et la terre trembla, les pavés bougèrent, frottant les uns contre les autres. Milka sentit une terrible douleur dans les oreilles et fut enveloppée dans un vacarme assourdissant, tamisé par un vrombissement aigu. Elle sentit l'odeur du feu et, levant les yeux, vit le pont exploser et s'enfoncer dans la rivière tandis que des particules de ciment lui brûlaient le visage. Le bruit de l'effondrement fut cependant relativement faible, un craquement distant suivi d'un plouf, qui ne troubla pas ses oreilles, où d'autres sirènes hurlaient déjà. Quand elle balaya la poussière de son visage, elle sentit un liquide épais et chaud sur sa joue. Son sang cimentait de nouveau sur elle la poussière du pont. D'où venait-il ? Elle ne trouva aucune coupure sur sa mâchoire. Le sang coulait de son oreille.

Mais même cette douleur était en quelque sorte une bénédiction ; parce que, s'ils avaient franchi une centaine de pas de plus, ce sont leurs propres particules qui se seraient éparpillées.

Hébétés, ils retournèrent chez les Rankovic, où l'on discutait pour savoir si ce formidable fracas était dû aux bombes de l'OTAN ou à l'ouverture du ciel pour la seconde venue du Christ – la plupart des membres de l'assemblée favorisant cette dernière théorie.

Lorsque Milka et Drago pénétrèrent dans la pièce close par des rideaux et illuminée par des chandelles, la discussion des dévots se tarit à la vue de ces nouveaux venus couverts de poussière de ciment et de sang séché, rendus livides par l'horreur. L'air étant presque entièrement consumé par les soupirs et la sueur, les chandelles avaient toutes les peines du monde à cracher une lueur sombre et sifflante, éclairant par en dessous les visages du couple.

Le groupe se remit à prier, tranquillement, à voix basse, et à chaque respiration les flammes des chandelles vacillaient, et l'une d'elles crépita et rendit l'âme, exhalant un trait fin de fumée noire et cireuse. Mais peut-être ne priaient-ils pas à voix basse, comme Milka en avait l'impression ; c'étaient ses oreilles qui ne pouvaient tolérer l'intrusion de leurs voix que sous la forme d'un doux murmure. Les prières chuchotées produisent un son plus intime que celles prononcées à haute voix, et elle se dit que, à l'avenir, elle murmurerait à l'oreille de Dieu. C'est certain qu'Il l'entendrait. Puisqu'Il entendait les pensées, la voix serait réservée à ceux qui prient, et les murmures seraient pour elle.

Milka contempla cet attroupement tourmenté. Tous avaient les yeux clos, mais, sous les paupières, elle pouvait deviner que les yeux bougeaient, agités de mouvements convulsifs. Il y avait des Hongrois et des Croates nés à Novi Sad, mais la plupart étaient comme elle, des Serbes de Croatie. Ils se réunissaient pour prier dans l'espoir de pouvoir rentrer sans encombre en Croatie.

Avant même que la guerre n'éclate en Croatie, en 1991, les trois fils Zivkovic avaient rejoint les forces paramilitaires serbes, au grand dam de leurs parents pacifistes. Les fils avaient délaissé l'Église baptiste depuis longtemps déjà et, plutôt que d'appliquer le principe du « tends-l'autre-joue » qu'on leur avait inculqué, ils étaient devenus des piliers de bistrot bagarreurs, ou, plus précisément, de véritables salopards, sans aucun métier, couvant l'idée de reprendre un jour l'entreprise de menuiserie paternelle, sauf qu'avec la récente crise économique qui frappait la Yougoslavie plus personne ne commandait de meubles sur mesure. Comme la plupart des Serbes de Krajina, les Zivkovic s'étaient prononcés en faveur de la tenue du référendum, un plan secret visant à annexer à la Serbie la Krajina de Croatie – qui suivait les anciennes frontières militaires autrichiennes. Le référendum offrait en fait à Milošević un prétexte pour occuper la Croatie « par la volonté du peuple ».

Dans la ville croate de Boukovo, tout était écrit en cyrillique, chose qu'on ne voyait même pas en Serbie. Le soir, vers la fin de l'été, des voix avinées résonnaient dans les tavernes : *Dajte nam salate, bice mesa klacemo Hrvate.*

« Donnez-nous d'la salade avec plein d'ciboulette, on pass'ra les Croates au fil d'la machette. »

Lors des premières escarmouches opposant les milices croates et les paramilitaires serbes soutenus par l'armée yougoslave, les Zivkovic s'étaient cachés dans leur cave, priant pour la victoire serbe. Les forces yougoslaves ayant pris la ville, les paramilitaires croates avaient bourré d'explosifs l'église catholique. Le clocher explosa et le beffroi s'inclina sur le côté, laissant les cloches pendre par la fenêtre. Des rumeurs d'exécutions de masse et de tombes creusées dans les montagnes circulèrent, mais personne n'osa y monter par peur des mines. Les Zivkovic, eux, n'accordaient aucun crédit à ces racontars, qu'ils suspectaient d'être le fruit des débordements de l'imagination slave, qui avait donné naissance à toute une tradition orale d'épopées sanguinaires. Mais, par un jour d'hiver, avec d'infinies précautions, Milka partit dans la forêt ramasser du bois de chauffage. Alors qu'elle tirait sur une grosse branche, elle s'aperçut que ce qu'elle prenait pour un morceau d'écorce était en fait l'étoffe gelée d'un jean ; le tissu céda, et ses mains agrippèrent une jambe humaine dépourvue de pied qui pointait hors du sol. Horrifiée, elle courut jusqu'à la maison où elle n'osa pas raconter ce qu'elle avait vu, pas même à Drago. Elle fit ensuite souvent des cauchemars où elle se voyait saisir le tibia enveloppé d'un jean gelé et, après quelque temps, elle n'était même plus sûre d'avoir vraiment vu une jambe. Mais au printemps, les odeurs de putréfaction venant de la forêt emportèrent ses derniers doutes. Bientôt, les odeurs disparurent ; asticots et loups avaient accompli leur office. Elle savait désormais que le diable couvait sous la terre, et que le pire était à venir.

On leur avait dit que la Krajina allait devenir la Serbie, que les touristes afflueraient bientôt, que des auberges de montagne ouvriraient, qu'on viendrait y chasser. Mais au lieu de cette prospérité promise par les démagogues, ils n'avaient gagné que la pauvreté. Accablée par les sanctions, Belgrade parvenait tout juste à maintenir à flot son économie. Beaucoup de Serbes, incapables de faire face à la misère qui sévissait de plus en plus dans la région, cherchaient à s'exiler en Suède, en Nouvelle-Zélande, au Canada et aux États-Unis, et nombreux étaient ceux qui partaient pour Belgrade. Les rangées de bunkers, les tunnels, les dépôts souterrains de munitions et les centaines de chars d'assaut leur avaient au début donné un sentiment d'invincibilité, mais les soldats, privés de solde depuis trop longtemps, n'avaient plus le moral. Nombre d'entre eux participèrent à une incursion en Bosnie, où ils brûlèrent Bihać et assiégèrent la ville jusqu'à ce que la population meure de faim. Pendant ce temps, en août 1995, les Serbes étant dans l'impossibilité de revenir occuper leurs positions, l'armée croate passa à l'offensive et reprit en trois jours une Krajina très amoindrie. Les Serbes fuyaient maintenant leurs maisons, souvent par peur des représailles – ils étaient nombreux à avoir des membres de leurs familles dans l'armée. Même les soldats serbes qui battaient en retraite incitaient les civils à fuir pour échapper à la mort. Les combattants croates offraient à ceux qui partaient de l'essence et des boîtes de conserve, acte d'une générosité discutable.

Et, la nuit, Milka et Drago entendaient résonner les voix rauques dans la taverne : « Donne-nous des fines herbes, qu'on fasse griller ces vilains Serbes. »

Vidés de leurs habitants, des villages et des villes n'étaient plus peuplés que de fantômes, et on jurait dans la vallée avoir entendu ces spectres, armés de faux, combattre dans le fracas du métal et les vociférations. Et on entendait aussi le hurlement des loups, parmi les derniers d'Europe, dont la population augmentait désormais ; à cause des mines, plus personne ne chassait, et les populations de chevreuils, de perdrix et de lapins explosèrent. Les loups devinrent si nombreux, et si habitués à manger des restes humains, qu'ils représentaient une menace pour les rares survivants des villages reculés.

Milka et Drago furent parmi les derniers à quitter leur petite ville pour aller gonfler les colonnes de réfugiés et prendre ainsi part à cet exode d'une ampleur biblique. Alors qu'ils traversaient Karlovac en direction de l'Autoput, ils furent bombardés d'œufs, de tomates, de melons et de quolibets par les foules croates.

Les exilés avaient espéré que la Serbie les accueillerait en martyrs. Ils furent traités comme des culs-terreux ; on les reprenait dans les magasins parce qu'ils prononçaient *biyelo* (blanc) à la croate au lieu de *belo.*

Beaucoup de Serbo-Croates changèrent pour *belo,* mais les plus âgés, et parmi eux les Zivkovic, disaient qu'il était trop tard. Ils avaient grandi en parlant comme ça, ils mourraient ainsi.

À Novi Sad, l'administration leur attribua une petite maison blanchie à la chaux et couverte de tuiles moussues appartenant à une famille croate expulsée vers la Croatie. À cause de la surpopulation, trois familles avaient emménagé dans la demeure de trois chambres ; tous partageaient à tour de rôle une petite cuisine équipée d'un four à bois et une salle de bains qui fuyait de partout. Une des chambres était occupée par un homme tout ratatiné, affligé d'un cancer à l'estomac, qui ne cessait de geindre pendant que sa femme l'aidait en jurant comme un charretier ; elle passait plus de temps à surveiller quelques chèvres blanches qui paissaient près du fossé herbu, en face de la maison. La pauvreté aidant, l'élevage des chèvres s'était répandu, même dans les villes. Dans l'autre chambre, une adolescente, mère d'un bébé, passait des heures chaque nuit à simuler des orgasmes, se pâmant et criant, pour les hommes qui se succédaient dans son lit. Et chaque matin, son souteneur, en route vers le club de tennis, garait devant la maison sa BMW jaune, sans doute volée en Bosnie. Il lui criait qu'elle devrait avoir honte de lui rapporter si peu. Ne pourrait-elle demander plus ? Il lui cognait la tête contre les placards vides qui résonnaient comme des timbales. Et, pour le reste de la matinée, le bébé pleurait. Alors, partagés entre les cris de souffrance d'un côté et les cris de jouissance de l'autre, les Zivkovic souffraient d'insomnie, ne parvenant généralement à dormir que l'après-midi, quand la maisonnée se calmait durant quelques heures. Et même s'ils n'avaient pas de travail et que l'heure à laquelle ils dormaient importait peu, ils trouvaient affligeant de vivre dans ce climat.

La beauté de la promenade le long du Danube et au-delà du pont de Varadin était l'une de leurs maigres consolations. Ils étaient des milliers à sortir se balader, *na korzo.* On n'aurait jamais dit que le monde était en plein chaos – de jeunes hommes élégamment vêtus, l'oreille collée à leur téléphone cellulaire, côtoyaient de jeunes femmes toutes minces aux mini-jupes provocantes ; pendant ce temps, deux millions de personnes déplacées erraient dans l'ancienne Yougoslavie, désertant les forêts pour les tentes des camps de réfugiés, afin de retrouver de lointains parents ou pour s'entasser dans des quartiers surpeuplés. Au Kosovo, la police serbe faisait du porte-à-porte, confisquant les armes et molestant les civils, interdisant aux Kosovars albanais de fréquenter l'école. Non, vous n'auriez pu imaginer tout cela, ni que tant de réfugiés vivaient à

Novi Sad. Même les réfugiés qui flânaient le soir sur la promenade ne voulaient pas y penser. Eux aussi jouissaient de la brise, eux aussi rêvaient d'un monde sans souci, un monde où l'on pourrait se contenter d'être élégant. Certes, à l'approche de la soixantaine, Milka et Drago semblaient en pleine forme. Elle avait les cheveux noirs et des yeux noisette si clair qu'on aurait dit qu'une lumière chaude émanait d'elle. Sa peau était lisse, tendue par un soupçon d'embonpoint. Elle marchait bien droite, des douleurs chroniques l'empêchant de se pencher. Elle portait des perles d'eau douce qui venaient de Russie et qui, à cause de leur taille irrégulière, lançaient aux moments les plus inattendus des éclats rouges, verts et blancs, jouant avec la lumière de ses yeux, l'exacerbant.

Drago avait encore tous ses cheveux châtains et grisonnait très légèrement sur les tempes ; sa moustache noire brillait. Il exhibait à l'occasion, au détour d'un sourire, l'éclat d'une dentition naturelle qu'il brossait énergiquement trois fois par jour. Il faisait vingt pompes tous les matins, et son abdomen ne formait qu'une ligne avec son torse et ses cuisses ; il taquinait souvent ses copains en leur tapotant la bedaine avec condescendance. Tous deux chantaient dans un chœur, elle d'une voix éclatante de soprano, lui de basse chaude. Bref, en dépit des circonstances, ils conservaient une fierté toute physique, et la promenade du pont y contribuait. Milka sentait que Drago regardait les jeunes femmes, ce qui ne la contrariait pas : à presque soixante ans, il était bon qu'un zeste de jeunesse l'anime encore. Elle tirait une certaine satisfaction à observer ce qui était jeune et superficiel, et elle espérait continuer à jouir longtemps encore des apparences – consciente tout de même que sous cette beauté se tapissait le vice, de la même façon que sous les reflets de la rivière, au coucher du soleil, perches et brochets déchiquetaient d'autres poissons. Oui, les soucis revenaient bien vite, et elle pensait à ses fils. Elle avait entendu dire qu'ils avaient été massacrés par les musulmans et les Croates devant Prijedor, ou qu'ils avaient rejoint les troupes d'Arkan et s'étaient enrichis à force de pillage, et qu'ils se fichaient bien maintenant de leurs pauvres parents.

Les parents priaient souvent pour leurs enfants. Ils demandaient même des choses du genre : « Dieu, par pitié, faites que nos fils ne soient pas morts à Prejidor en septembre dernier » – attendant de Dieu qu'Il reconsidère le passé et, dans l'éventualité où leurs fils auraient effectivement été tués, qu'Il leur redonne vie sans attendre la seconde venue du Christ, les réintègre dans cette nouvelle version du passé et du présent, et les fasse venir à Novi Sad pour y recevoir les paroles du Seigneur. Selon une telle cosmologie, tout pouvait arriver dans le futur et dans le passé, tous deux étant constitués de ce fluide capable d'affluer et de refluer de la même manière que l'eau dans l'océan peut circuler simultanément dans différents courants, au nord et au sud, en fonction de la profondeur et de la chaleur – et on voit même de l'eau monter vers le ciel, en même temps qu'il y en a qui tombe et s'infiltre sous la surface de la terre, puis s'évapore de nouveau. Pareillement, le sang des fils assassinés pouvait peut-être s'arracher à la poussière et envelopper les os pour y redevenir chair vivante. Cette vision évangélique permettait de voyager dans le temps encore plus vite que la théorie de la relativité, et la vie et la mort devenaient des concepts quasi interchangeables. Personne ne meurt très longtemps, personne ne vit très longtemps.

Naturellement, pareille cosmologie était aussi génératrice de stress, stress que soulageait la promenade. Mais, avant même que le pont ne s'effondre, on avait fermé la promenade du soir par peur des bombardements américains. Les gens restaient chez eux, avec leur peur, leur chagrin et leur ennui.

Le lendemain de l'effondrement du pont, nos deux âmes tourmentées avançaient cahin-caha dans la lumière bleue de l'aube. Une lueur rose dans les nuages les apaisa à peine, et une file de gens s'amassait le long des berges pour pleurer le vieux pont, comme s'il s'agissait d'un être vivant qui gisait là, brisé, assassiné, envoyé par le fond. Les plus vieux se souvenaient de ses nombreuses vies, puisque les Allemands l'avaient détruit pendant la Seconde Guerre mondiale et, à la fin du conflit, les mêmes Allemands, mais prisonniers cette fois, l'avaient reconstruit à coups de fouet, et peut-être étaient-ce tous les péchés de ces prisonniers de guerre, et la haine et les millions de jurons crachés, qui avaient scellé le triste destin de ce pont.

Le vent soufflait des plaines du nord-ouest, frigorifiant la foule privée de sommeil. Pour quelques sous, un homme chauve transportait les gens à bord d'une embarcation, comme Charon, sur la rive ouest du Danube. Il était ténébreux, comme s'il leur faisait vraiment traverser le Styx, et même si cela n'était en rien nécessaire, sauf peut-être pour arriver à une certaine expression théâtrale de l'émotion. Les Zivkovic allèrent à Most Slobode (le pont de la Liberté), plus haut sur la rivière, le traversèrent et marchèrent encore trois kilomètres sur la rive occidentale, dépassant les résidences universitaires de Staro Sajmište et la faculté de médecine de Hajduk Veljkova. Les portes vitrées de la faculté avaient volé en éclats, sans doute à cause du souffle d'une puissante explosion ayant touché une autre cible, provoquant des rafales de bruit et de vent – entrecoupées de vagues de vide, qui ont pulvérisé le verre dans les escaliers de marbre. Ils dépassèrent péniblement les vieilles barres d'habitation socialistes et poussèrent jusqu'à la gare. L'endroit empestait habituellement le diesel, mais plus maintenant. La voie de chemin de fer avait sauté à différents endroits, réduisant le trafic à zéro. L'OTAN ne bombarderait pas la gare tant que des gens y dormiraient ; sur les voies secondaires, les réfugiés, Serbes de Bosnie et de Croatie et, depuis peu, du Kosovo, formaient leurs villages dans des wagons.

Cette nuit-là, les Zivkovic écoutèrent la BBC et les reportages croates sur une radio à ondes courtes : près d'un million d'Albanais croupissaient dans la misère sordide de camps de fortune. Dans les avions transportant les Kosovars de Macédoine vers la Turquie, les agents de bord portaient des masques à gaz pour se protéger de leurs microbes. Les Albanais étaient traités comme des intouchables.

« Peux-tu croire une chose pareille ? demanda Drago.

— Pourquoi pas ? À ce stade, je pense que tout est vrai. » Elle ferma les yeux, et elle pouvait encore voir sur ses paupières les contours de l'image rémanente, celle de la jambe de l'homme massacré sortant de terre. « Oui, toutes ces horreurs sont vraies. » Sa main eut un mouvement convulsif, comme si elle touchait encore la jambe rouge et morte.

« En 1990, les journaux nous ont menti en nous disant que les Croates nous massacraient alors que rien ne se passait.

— C'est vrai, admit-elle, tout a commencé par des mensonges, puis les mensonges sont devenus réalité.

— Ce truc avec les Albanais, ça pourrait être de la propagande occidentale pour leur donner de bonnes raisons de nous bombarder.

— Oh, laisse la politique aux politiciens…

— La Bible dit : Il faut rendre à César ce qui appartient à César. On ne peut pas vraiment paraphraser en disant qu'il faut rendre à Milošević ce qui appartient à Milošević, ou rendre à Tudjman ce qui appartient à Tudjman. Ceux-là nous ont déjà tout volé, alors pourquoi leur rendrais-je quoi que ce soit ?

— Tu penses que César valait mieux ?

— Oui, on menait des guerres héroïques à l'époque. Les armées s'affrontaient sur un champ de bataille, et celle qui gagnait, elle gagnait.

— Je n'y crois pas. Je pense que, même en ce temps-là, les armées s'évitaient et allaient de village en village, brûlant, pillant, violant et massacrant. Et ensuite chacun écrivait une histoire différente sur les murs et dans les livres. »

Épuisée, elle commença à trouver toute cette conversation lassante et, pendant qu'il évoquait telle ou telle bataille de l'ancien temps, elle s'assoupit. En dépit de sa légère surdité, elle fut réveillée par des cris orgasmiques venant de la pièce d'à côté, des cris teintés d'une pointe d'angoisse impuissante dans la voix de la femme. Elle retint son souffle. Drago respirait rapidement, se racla la gorge, qu'il avait sèche, et lui toucha les seins. Elle s'écarta de lui. Était-il possible que les soupirs d'une autre femme l'excitent ? Et qu'il veuille lui faire l'amour à ce moment précis, au son de cette voix, en imaginant peut-être la voisine ? Non, faire l'amour dans ces conditions ne lui disait rien. Elle s'éloigna encore, même si le cadre du lit en bois lui sciait les bras et les jambes. Elle se rendormit et, quand elle se réveilla, se dirigea pieds nus vers la salle de bains, sans bruit, pour ne déranger personne. En chemin, elle découvrit avec stupéfaction Drago, agenouillé, non pas en prière comme elle l'avait parfois vu faire, mais devant le trou de la serrure, en train d'épier la jeune femme dont le lit grinçait.

« Ha, espèce de vieux cochon ! » murmura-t-elle tout haut.

Drago se releva d'un bond et fila dans leur chambre, essayant de cacher son érection.

Elle le suivit.

« Tu n'as pas honte ? À ton âge ? À n'importe quel âge, d'ailleurs ! Est-ce que c'est une façon de se comporter ?

— J'étais curieux à cause du bruit.

— Tu étais bien plus que curieux.

— Mais nous n'avons pas fait l'amour depuis des mois…

— Comment le pourrions-nous ? Avec tous nos soucis !

— Oui, mais mon corps…

— Ha, la ferme, espèce de porc. Va la voir ! Tu la veux, va la voir, attrape ses maladies, vautre-toi dans sa crasse, crève dans le pus ! »

De dégoût, elle se détourna de lui. Après tant de tragédies, devoir subir pareille infamie ! C'était encore pire que… que quoi ? Oh, et puis qu'il aille au diable, pensa-t-elle, qu'il me laisse dormir. Et qu'ils aillent tous au diable. Mais comment est-ce que j'ose proférer de tels blasphèmes ?

Elle fut incapable de se rendormir, alors que Drago y était apparemment parvenu. Qui sait à quoi il rêvait – il continuait à grincer des dents. « Et il ose citer la Bible : Ne craignez rien de ceux qui tuent le corps, mais ne peuvent tuer l'âme, pensa-t-elle en l'observant dans la lumière bleutée de la lune. Quelque démon lui a infecté l'âme d'une ignoble luxure. Où ? Au *korzo* du pont de Varadin ? Ou sont-ce ces meurtriers chantant leurs ballades sanglantes qui lui ont noirci l'esprit ? » Elle avait peur pour lui maintenant, peur pour son âme. Fallait-il qu'elle prie pour lui ?

Au matin, n'ayant toujours pas fermé l'œil, Milka se rendit aux toilettes où elle avait finalement oublié d'aller, et croisa le maquereau qui, œil au beurre noir et sourire penaud, leva en l'air une bouteille de champagne. « Souhaitez-moi bonne chance, dit-il. Je viens juste de me fiancer !

— Sûr, que je vous souhaite bonne chance », grommela-t-elle.

Quand elle sortit de la salle de bains, elle trouva le vieil homme, qui était d'une blancheur virant au bleu – même ses sourcils et ses yeux, voilés par la cataracte, avaient pris cette teinte –, rampant sur le parquet sale vers les toilettes en gémissant.

Milka se demanda où se trouvait sa femme. Ne devrait-elle pas s'occuper de lui ? Elle regarda dehors, mais ne vit ni femme ni chèvres.

Milka l'aida à se lever. Il était incroyablement léger, vidé par sa maladie, et il n'arrêtait pas de roter. Elle l'assit sur les toilettes, puis le porta dans sa chambre où elle le lava. Le vieux pleurait, sans aucune force ni souffle dans la voix. À l'agonie, le vieil homme bleu lui apparut comme un saint et, prise d'un grand chagrin, elle pleura pour lui et, dans le creux de la poitrine du vieillard, ses larmes se mêlèrent à l'eau chaude qui s'écoulait de l'éponge. Elle lui prépara de la camomille, mais il la supplia de lui apporter plutôt de la saucisse slavonne bien piquante.

« Ça va vous faire du mal !

— Oh, je suis bien au-delà de la douleur. Je vais bientôt mourir, et je ne pense qu'à une chose, manger du *kulen*. Je me fiche de le digérer ou non. Je ne digère plus rien ! Je veux avoir ce goût dans la bouche, et après, je pourrai mourir. »

Elle fila au garde-manger, où elle cachait les saucisses, et lui en donna une bien rouge et bien poivrée, et le vieil homme la mâcha lentement, l'œil mouillé, en versant quelques larmes, peut-être de joie, qui s'écoulèrent le long de ses joues creuses.

Elle lui en coupa de fines tranches qu'il mâcha, et mâcha encore, jusqu'à ce qu'il s'endormît, un sourire bienheureux sur le visage.

Deux jours plus tard, premier dimanche après la destruction du pont, Milka se vêtit pour aller à l'église et mit ses perles sur sa robe de velours vert, mais Drago traînait au lit, avec des poches sous ses yeux bouffis, comme si des abeilles l'avaient piqué. « Qu'est-ce que tu attends ? demanda-t-elle. Tu as intérêt à aller à l'église et à te repentir. J'espère t'entendre faire une prière. Ton esprit a besoin d'être purifié par le sang du Sauveur. »

Elle fut étonnée qu'il ne regimbe pas. « Le vieil homme gémit depuis des mois, dit-il. Combien de temps va-t-il encore tenir ? Je n'arrive plus à dormir ; sa peur m'a contaminé. »

Ils franchirent d'un pas lourd les trois kilomètres qui les séparaient de l'église baptiste ; tout avait l'air d'être à trois kilomètres, et il n'y avait en vue aucun de ces longs autobus bleus dotés d'un grand joint au milieu pour leur permettre de tourner au coin des rues. À l'église, après avoir chanté de toute leur âme avec le chœur, ils écoutèrent le pasteur aux airs de condor débiter un sermon sur la fin, quand la nation se tournerait contre la nation, le frère contre le frère, et quand la terre tremblerait comme jamais auparavant. Et il tira de l'Évangile selon Saint-Matthieu, chapitre 24, verset 9, ces mots de Jésus : « Vous serez détestés de toutes les nations à cause de mon nom. » Il prit une pause et, en silence, posa le regard sur ses ouailles, ses paupières s'abaissèrent sur ses yeux gris, puis se relevèrent. Et il répéta une octave plus bas : « Vous serez détestés de toutes les nations à cause de mon nom. »

Sa prophétie fut très vite confirmée, du moins en partie. Des éclats de verre se répandirent sur les fidèles, entaillant quelques joues. Les gens se jetèrent sur le sol, imaginant qu'il s'agissait d'un autre bombardement de l'OTAN. Quelques briques furent lancées aux cris de « Bande d'espions de l'Amérique, on va vous présenter devant votre Dieu dès aujourd'hui » et « Satanés *novoverci* (nouveaux croyants) ! ».

Une rafale de mitraillette fut tirée dans le plafond. Quelque chose ressemblant à une grenade atterrit dans les fonts baptismaux, mais n'éclata pas, produisant plutôt un plouf qui surprit Milka par sa froideur. Mouillée, elle frissonnait sur le sol qui sentait l'urine – la peur et ses outrages.

Le pasteur ferma la porte à clé. L'église était assiégée par la foule.

« Quelqu'un ici a-t-il une arme ? demanda l'homme de Dieu.

— Un petit pistolet, cria une femme.

— Ça ne suffira pas, répondit le pasteur. Mieux vaut prier alors. »

Au milieu d'une prière, il sortit son téléphone et composa le numéro de la police.

Mais quelqu'un avait déjà dû lancer l'alerte et, juste au moment où la porte semblait sur le point de céder sous les coups de boutoir, les forces de l'ordre dispersèrent les envahisseurs à grand renfort de gaz lacrymogène.

« Ça va, vous pouvez sortir maintenant, cria un policier à travers la porte fendue. Tout est fini. »

Les fidèles, pourtant habitués à croire si fort, n'en

croyaient pas un mot et restaient à l'intérieur. « C'est un piège, chuchota quelqu'un. Ils ont planifié tout ça depuis le début. »

Mais quand ils se risquèrent à jeter un coup d'œil dehors, la police semblait effectivement avoir les choses en main, repoussant à coups de matraque quelques hooligans ivres, dont un, la bouche en sang, qui s'était fracassé les dents sur le sol.

Marchant aux côtés de Drago, Milka pensa que, peut-être, César faisait son boulot, après tout. Ou alors les prières de quelqu'un avaient été entendues. Mais quelle prière aurait pu produire ce résultat ? Qui pouvait prier aussi bien ? Ou peut-être Dieu n'avait-il pas besoin de prières ; Il intervenait quand les gens n'en pouvaient plus de tant de malheur, alors les humains en profitaient pour reprendre des forces, et tout nouveau malheur qui s'abattait faisait alors deux fois plus mal. Elle s'interdit de penser de la sorte.

Alors qu'ils s'éloignaient, même les policiers les abreuvèrent de sarcasmes.

« Comment pouvez-vous fréquenter l'Église de Clinton ? » C'est comme ça que les gens du coin appelaient désormais l'Église baptiste. Ils ne répondirent pas, continuant de marcher dans des rues de plus en plus sombres, de plus en plus étroites. Le soleil venait probablement juste de se coucher, mais le ciel était nuageux, une obscurité froide et humide montait du sol, comme si l'obscurité était une substance, une vapeur charriant les odeurs du Danube, des odeurs d'argile venues des profondeurs, d'œufs de poissons qui n'avaient jamais vu le jour.

À quelques coins de rue de là, quatre gaillards aux cheveux coupés en brosse les rattrapèrent et engagèrent la conversation. « D'où venez-vous ? »

Milka vit que l'un d'eux arborait l'emblème des SSSS (CCCC en cyrillique) qui signifie *Samo Sloga Srbe Spasava* (Seule l'unité peut sauver les Serbes), le sigle traditionnel des Tchetniks.

« Oh, ne cherchez pas, lança Drago. De Lika. Krajina serbe. »

Un autre homme, vêtu d'un simple t-shirt malgré le froid, dit : « C'est là que j'ai mes racines, moi aussi. On devrait se serrer les coudes un peu plus, vous ne trouvez pas ?

— Pourquoi ne rentrez-vous pas ? ajouta un autre, qui portait un blouson noir.

— Comment le pourrait-on ? Les Croates ont incendié nos maisons pour s'assurer que nous ne reviendrions pas.

— Vous auriez dû les combattre, observa le SSSS.

— Facile à dire pour vous, mais nous sommes trop vieux pour nous lancer dans la bataille. Et en plus nous sommes pacifistes.

— Vous auriez dû partir pour les États-Unis, *novoverci.* »

Pendant tout ce temps, les Zivkovic n'avaient cessé de hâter le pas, mais les hommes finirent par les encercler et par s'arrêter, et quand Milka tenta de continuer, ils la repoussèrent. « Attends un peu, vieille pute, notre discussion n'est pas terminée.

— Clinton, Gore, Albright, ils sont tous baptistes, cria le quatrième lascar, serrant dans la main un tuyau de métal. Vous avez serré la main de Clinton ? »

Ils parlaient tous en même temps, et Milka avait de la difficulté à comprendre qui disait quoi ; elle ne regardait pas les hommes, dont les visages étaient déformés par l'agressivité, peut-être sous l'effet conjugué des speeds et de l'alcool.

« Hé toi, je te parle, dit le SSSS en poussant Milka. T'as sucé la bite de Clinton ? Pourquoi t'as pas serré les dents, hein ?

— C'est une guerre de religion, les baptistes contre les orthodoxes serbes !

— Vous allumez vos lampes électriques sur nos ponts et nos voies ferrées pour que, aux commandes de leurs avions, les Vandales puissent mieux nous bombarder ?

— Où avez-vous pêché une idée aussi absurde ? » l'interrompit Drago.

Le SSSS lui mit son poing en pleine figure et le sang coula sur les lèvres de Drago. Il les essuya et, d'un coup, envoya son pied dans l'entrejambe du SSSS, qui s'effondra, mais le type au t-shirt frappa Drago à la mâchoire.

« Laissez-le, cria Milka, il est malade du cœur.

— Il est aussi malade dans la tête. Mais je vais lui régler ça ! »

Et le voyou abattit son tuyau de métal au-dessus de l'oreille gauche de Drago. La force du coup le projeta sur les pavés. Puis le gars en t-shirt lui envoya un coup de pied dans les cuisses.

Milka essaya de les repousser et de protéger Drago, mais le SSSS, qui s'était relevé en hurlant, l'atteignit si violemment au sternum qu'elle resta debout, sonnée, et pendant plusieurs secondes fut plongée dans un brouillard gris, lumineux, sans aucun détail, et quand elle recouvra la vue, ce ne fut qu'un tourbillon de bras, de jambes, de bottes, de bâtons. Quand elle revint à elle, toujours debout, les brutes étaient parties, et Drago reposait à ses pieds, le front en sang.

Encore hébétée, doutant de ce qu'elle voyait, elle plissa

les yeux. Près de la tête de Drago luisaient des rayons pourpres et rouges, ses perles répandues jouaient avec la lumière cramoisie du sang de son mari.

Elle s'agenouilla, posa sa bonne oreille sur la poitrine de Drago, espérant entendre son cœur battre. Sa poitrine était chaude. Elle crut déceler une faible palpitation, mais peut-être était-ce son sang à elle qui battait dans son oreille ? Elle chercha le pouls de Drago et, encore une fois, crut sentir de légers frémissements. Était-ce son propre pouls ? Elle posa trois doigts contre la pointe du radius et sentit, incrédule, des battements réguliers, puis elle l'entendit prendre une respiration mouillée. Mon Dieu, pensa-t-elle, comment pouvons-nous survivre à tout cela. Elle était presque déçue que ce ne soit pas la fin des souffrances pour son mari, mais peut-être juste le commencement. Et maintenant, qu'allait-il se passer ? Comment trouver un docteur ? Il devait bien y en avoir un dans les parages. Ils n'étaient après tout qu'à un coin de rue de la faculté de médecine. La tâche qui l'attendait la terrifiait, mais avait-elle d'autre choix ? Elle regarda autour d'elle, certaine de ne voir que la rue déserte, mais elle aperçut plutôt une vieille femme portant un foulard marron qui sortait de sa cour avec un seau d'eau, une bouteille d'alcool pharmaceutique et une serviette. Elle vint à eux sans un mot, s'agenouilla près de Drago et commença à lui laver le visage. Drago ouvrit les yeux et sourit, comme pour dire, Je ne savais pas que la vie pouvait être si bonne ou, peut-être, Je ne savais pas que j'étais vivant.

Et Milka se sentit plus forte, elle aussi, forte d'avoir appris qu'il était possible de survivre à presque tout. Et lorsqu'un avion de l'OTAN franchit le mur du son au-dessus de leurs têtes, elle ne sursauta même pas ; elle se demanda si c'était le bruit de la colère de Dieu, qui ne pouvait pas plus les détruire que les protéger, contrairement à l'amour de Dieu, incarné par la vieille femme. Celle-ci semblait ne rien entendre. Elle ne répondit ni aux paroles de reconnaissance ni aux questions demandant s'il y avait un médecin dans le coin, mais ses mains grises et noueuses continuèrent de laver le visage tranquille de Drago, ses cheveux, son cou, comme s'il s'agissait d'un bébé.

59e parallèle

J'attends le métro de la ligne A à Colombus Circle, vers cinq heures de l'après-midi, heureux que nous soyons samedi, jour sans heure de pointe. On aurait pu penser, dans la foulée du 11 Septembre, que les métros de New York seraient moins bondés, qu'au moins les paranoïaques de la ville (large congrégation à laquelle j'estime appartenir) éviteraient le métro, cette cible de choix. Pendant tout le mois qui a suivi l'attaque, j'ai observé une multitude de sacs chaque matin en me demandant : qu'est-ce qui me dit qu'ils ne contiennent pas des explosifs, de l'anthrax, le virus de la peste ? Les policiers, qui patrouillaient matraque à la main autour des entrées en mâchant leur chewing-gum, ne contrôlaient en fait personne. Ils ne sont pas là pour prévenir quoi que ce soit, mais pour intervenir après une tragédie, post-mortem. En dépit de tous ces débats entourant les restrictions apportées à la liberté individuelle, on peut toujours se déplacer sans aucune surveillance, sans devoir s'identifier – contrairement à l'ex-Yougoslavie, où j'ai déjà vécu et où la police contrôlait de façon « aléatoire » certains passants en leur demandant de produire leurs papiers d'identité. (Ça pourrait bientôt se passer comme ça aux États-Unis, et ça nous aiderait à nous sentir plus en sécurité, ou beaucoup plus menacés, selon le point de vue.) Donc, pendant un mois, mon imagination m'a fait craindre explosions et autres fumées étouffantes, mais maintenant, il est rare que de telles frayeurs me traversent l'esprit. Ce qui me traverse l'esprit, en revanche, c'est que de telles pensées ne me traversent plus l'esprit ! Étrangement, il règne ici un sentiment de sécurité (peut-être sensé, peut-être insensé).

Vendredi, le métro était si bondé que vous pouviez voir les dos des passagers écrasés contre les portes. J'observais un Asiatique, pensant qu'il serait comme moi amusé et exaspéré par cette vision, mais il n'a pas répondu à ma tentative de contact visuel. À Tokyo, me suis-je dit, le métro emploie des pousseurs pour empiler les gens dans les voitures, alors j'imagine que, pour lui, la chose doit avoir l'air tout à fait banale. Mais je venais tout juste de penser cela qu'il a éclaté de rire et m'a lancé : « Ça donne vraiment envie de rentrer là-dedans, hein ? »

J'ai marmonné une réponse. J'étais passé à autre chose et je réfléchissais à un truc que j'avais vu en descendant les escaliers de la 57e Rue : un vieil homme couché par terre sur un palier. Une de ses jambes pendait dans le vide tandis que l'autre était allongée bien droite devant lui, terminée par une vieille botte de randonnée dont la semelle bâillait, laissant entrevoir des orteils dégoûtants aux ongles bleus et crochus. Sa barbe était brun-gris, comme ses cheveux, ses vêtements et sa peau crasseuse. Mais son pénis, qu'il caressait doucement, était d'un beau rose clair et brillant, la seule chose chez lui qui avait l'air jeune et propre. Quand il m'a remarqué, il l'a lentement remballé et s'est enroulé en chien de fusil pour dormir. Qui sait ce qui l'avait inspiré ? Il devait y avoir dans cette tête un esprit capable de former des images, ou peut-être n'avait-il pas besoin d'images ?

Et la veille, j'avais vu dans le métro un mendiant qui

hurlait : « Hé, je meurs de faim ! Il faut que je mange ! J'ai bouffé des saloperies dans une benne à ordures qui m'ont empoisonné et on a dû m'ouvrir l'estomac. Vous voulez voir ? » Il avait relevé sa chemise pour exhiber une cicatrice qui n'avait pas encore guéri. Les gens en avaient le souffle coupé. Il empestait, incroyablement crasseux, courbé, la bave au menton. Je lui avais donné un dollar en prenant bien soin de ne pas le toucher. Un autre marchait uniquement vêtu de sous-vêtements et de chaussettes bien que l'on soit en plein hiver, et disait : « Mesdames et messieurs, je n'ai rien à me mettre. Donnez-moi un peu d'argent, s'il vous plaît, que je puisse m'acheter un pantalon. »

Mais, pour une raison ou pour une autre, les sans-abri ne montent pas dans les voitures archipleines. Peut-être le contact avec des gens propres les dégoûte-t-il.

Samedi, donc, je monte à bord du métro de la ligne A à Colombus Circle, heureux que nous soyons samedi et qu'il n'y ait pas d'heure de pointe. Rien ne semble inhabituel, si ce n'est que tout est absolument normal et habituel. Je monte derrière une rousse dont la chevelure s'enflamme dans les tons rouge orangé. Je ne la fixe pas, mais ses cheveux brûlent dans mon champ de vision ; on la voit même si on ne la regarde pas. Il n'y a pour ainsi dire pas de siège libre, sauf entre elle et un gros type costaud. Même sa respiration est lourde. Je déteste m'asseoir entre deux personnes, parce que même si les culs ne se touchent pas, les épaules, elles, sont en contact, surtout quand il s'agit d'hommes.

Pas plus tard que ce matin, je me suis assis entre deux énormes types et j'ai dû rester penché parce que, si je m'étais tenu droit, j'aurais été pressé comme un tube de dentifrice. Au bout d'un moment, je me suis dit : « Y'en a marre ! », et je me suis redressé et, même si nos épaules étaient écrasées les unes contre les autres, personne n'a cédé. Mais ce n'est pas le truc le plus macho à faire dans une voiture de métro. Non, le vrai macho s'assoit les jambes bien écartées. Plus vous les écartez et plus vous êtes un mâle alpha. Vous dites à tout le monde : « J'en ai rien à branler, de ton cul. J'occupe l'espace auquel j'ai droit. Et rien à foutre non plus que tu frottes ta jambe contre la mienne. Je suis pas homophobe. C'est ton problème, pas le mien. Je suis un vrai mec, et je prends ma place, et rien, je dis bien rien, ne m'en fera bouger. Tu peux frotter ta jambe contre la mienne si tu veux, mais tu le feras pas, parce que t'es pas aussi dur à cuire que moi. » Habituellement, un type qui écarte les jambes ferme aussi à demi les paupières et enfonce profondément les épaules dans son siège.

Ce matin, j'ai joué des épaules, mais sans aller jusqu'à me frotter les jambes contre celles de ces gars. Je les ai donc croisées, ce qui était une sorte de capitulation. (Par contre, cela m'amenait à pousser mon pied trop loin dans la foule, menaçant de faire trébucher quiconque passerait par là. Qu'importe, ce serait ma manière à moi de jouer les brutes.) Quand j'ai croisé les jambes, les deux types se sont assis encore plus droit en signe de triomphe psychologique et sexuel : c'étaient des alphas, et j'étais relégué au rang des bêtas simplement parce que j'avais fait mon délicat. La délicatesse est un attribut de bêtas. Ça ne dérange pas les vrais durs que leurs jambes se touchent ; ils ne reculent pas de dégoût. Je me suis assis entre eux comme un intellectuel qui ne se sert pas vraiment de son corps, pas comme un mâle dominant fornicateur toujours fier d'exhiber ses couilles, et qui n'hésite pas à l'occasion à bien sortir le pelvis pour qu'elles puissent gonfler, s'étaler à leur aise et se révéler joyeusement à la face monde.

Cette balade matinale encore fraîche à l'esprit, je considère ce siège vide avec répugnance, négligeant le fait que tête rousse ne jouera sans doute pas de jeux de jambes avec moi. Ce n'est pas un homme (un gros plus dans un métro, à mon avis) et elle est svelte. Mais l'autre siège est occupé par un homme, et du type à accaparer l'espace en plus. Je regarde le siège, puis plus loin dans le train. Devrais-je me déplacer jusqu'au prochain lot de sièges vides ? Peut-être trouverai-je une place libre le long de l'allée, où je pourrai tourner le dos à mon voisin. Je sais que tout ça n'a pas l'air très sympathique, mais pourquoi serais-je sympathique parmi une foule d'étrangers, assis sur un de ces horribles sièges orange qui vous font encore plus mal au cul qu'aux yeux ? À force de me pincer le nerf sciatique entre l'os et le plastique dur, je perds parfois toute sensibilité dans les pieds.

Je suis donc sur le point de renoncer au siège vide presque aussi orange que les cheveux de la rousse. Je ne vais pas me faire écrabouiller encore une fois aujourd'hui, pas même pour m'asseoir à côté d'une jolie fille. Parce que, pour être jolie, elle l'est, à voir la manière dont elle se tient (j'essaie de ne pas la dévisager), parfaitement droite et pourtant tout à fait à l'aise. Elle a croisé les jambes, et le mouvement de ces jambes longues et délicates ne m'a pas laissé indifférent. Je suis en train de me tourner dans l'autre sens quand une voix m'interpelle :

« Voulez-vous vous asseoir ? »

Elle s'adresse à moi, en zézayant légèrement. Elle a des lèvres pleines.

« Avec plaisir, merci. »

Que de prévenance ! Non pas que ce soit une invitation à la conversation. Elle lit un recueil d'expressions français-anglais, je le devine. Les gens adorent la France. Qu'elle y aille donc, en France. Qu'est-ce que j'en ai à cirer ? J'ai beaucoup voyagé, étudié l'allemand et le russe, et qu'est-ce que ça m'a donné ? Peut-être est-elle française et étudie-t-elle l'anglais ? Pas question que je regarde. Je ne veux pas être impoli ou, plutôt, avoir l'air impoli.

Je prends soin de cacher la couverture de mon magazine à ma voisine, même si je n'ai aucune raison de croire qu'elle s'intéresse à ce que je suis en train de lire ; en fait, elle semble tellement ultra-civilisée qu'elle n'a aucun besoin de manifester une quelconque curiosité envers ses voisins. Je lis un truc sur une bourse de l'UNESCO et sur un prix accordé au meilleur roman destiné aux lecteurs âgés de dix à douze ans. Franchement, pourquoi de dix à douze ? Il y a une énorme différence entre dix et douze ans. À dix ans, on aime encore *Blanche Neige.* Plus à douze : on est bien trop occupé à se branler. Devrais-je prendre la plume pour expliquer ceci à l'organisme international ? Non, qu'ils aillent se faire voir.

Je sors mon magazine, *Poets and Writers.* Je sais, complètement nul ! Mais acceptable dans le métro en soirée quand j'ai le cerveau en compote. Manifestement, un dictionnaire conviendrait mieux. La rousse a fait le bon choix. Avec un dico, je n'aurais à me concentrer que quelques secondes à la fois, pourquoi n'y ai-je pas pensé avant ? J'ai lu Dos Passos l'autre jour dans le métro, et en sortant, j'ai vu un type fringué comme un homme d'affaires lire un exemplaire tout fripé du *42ᵉ Parallèle.* Le matin, je lis le *New York Times,* donnant sans vergogne des coups de coude à mes voisins – sorte de revanche du bêta. Pourquoi ce journal est-il si grand ? Il devrait exister une version miniature pour le métro. Bon Dieu, si les quotidiens peuvent se payer un tirage le matin et un le soir, ils pourraient aussi prévoir un tirage pour le métro, non ? Il y a des lecteurs qui emploient bien sûr cette étonnante technique de l'accordéon, pliant les pages en deux et réussissant ainsi à parcourir rapidement tout leur journal sans blesser personne. J'admets les trouver éminemment civilisés et ingénieux. Je les envie, sans pour autant les admirer parce que je trouve qu'il y a quelque chose de terriblement fasciste dans cette manière d'organiser le corps et l'espace ; j'imagine que la plupart d'entre eux travaillent comme actuaires dans une compagnie d'assurances ou comme inspecteur du fisc.

Je poursuis ma lecture. Le gros type à ma gauche se lève pour descendre. Bien qu'il n'y ait de toute façon aucune possibilité de contact physique avec la rousse, qui se tient bien droite, je m'éloigne d'elle, occupant le siège qui vient de se libérer. Nous sommes maintenant à la 125e Rue, à Harlem, et il monte plus de passagers que je ne l'aurais cru. Je me rends alors compte que quelqu'un pourrait s'asseoir entre nous et je décide sans trop savoir pourquoi que je préférerais me trouver à côté d'elle. Je regagne donc à toute vitesse mon premier siège et engage la conversation. « Vous préparez un voyage en France ? » Elle me lâche un simple « Non », laconique. (Vous pensez peut-être qu'un *non* est toujours simple, mais parfois, il ne l'est pas, et c'est pour cela que je dis ici : son *non* a l'air simple.) Elle a des yeux couleur noisette très clair, mais pas verts.

« Pourtant, vous apprenez le français, non ?

— Non, l'italien. Mais j'aime aussi le français.

— Vous partez pour l'Italie, alors ?

— Je ne pense pas. J'aime l'italien, mais pas les Italiens, si vous voyez ce que je veux dire.

— Non, je ne vois pas.

— Je déteste parler aux Italiens. Ils sont odieux, et après une demi-heure de conversation, vous hésitez entre le suicide et l'homicide.

— Pas selon mon expérience. Mais peu importe, vous êtes Russe ?

— Oui, avoue-t-elle.

— Je suis croate, mais je parle un peu le russe. Nous pourrions essayer.

— Vous êtes écrivain, n'est-ce pas ? dit-elle, ignorant ma proposition.

— Comment le savez-vous ? Oh, le magazine, bien sûr. »

J'ai pourtant bien essayé de camoufler le titre, mais elle en a lu assez pour le deviner, même si je n'ai jamais eu l'impression qu'elle jetait un coup d'œil.

« Sur quoi écrivez-vous ?

— La moitié de ce que j'écris parle de l'ex-Yougoslavie et l'autre moitié… je ne sais pas trop de quoi parle l'autre moitié, et je m'en soucie peu.

— Pardon, je n'ai pas compris ce que vous disiez.

— Aucune importance, je n'ai pas été très clair.

— Alors, sur quoi écrivez-vous ?

— La Yougoslavie. Les guerres. Les émigrants. Les lieux qui disparaissent. »

Elle ferme son dictionnaire de poche et le range dans son sac à main noir. J'enchaîne aussitôt.

« Et vous, dans quoi travaillez-vous ?

— J'avais à peine commencé à travailler dans l'immobilier quand le 11 Septembre a tout anéanti. Aujourd'hui, il y a plus d'agents immobiliers que d'acheteurs à Manhattan. Je suis réceptionniste à l'hôtel Iroquois. Pas de quoi se vanter !

— Oh, je le connais, il est dans la 44e Rue.

— Comment le savez-vous ? Vous êtes la première personne que je rencontre qui connaît cet endroit.

— Il y a plein de grands hôtels dans ce coin. Est-ce que vous fréquentez le Russian Vodka Room ?

— Jamais de la vie. C'est là que traînent tous les pauvres types russes. Ils viennent tous de Brooklyn et racontent toutes sortes de bobards au sujet de ce qu'ils font.

— Et Uncle Vanya's ?

— On y mange horriblement mal !

— Et le Samovar ?

— Épouvantable, simplement épouvantable. Un endroit hors du temps. Il y a même un piano blanc, et les gens pleurnichent quand ils entonnent des chansonnettes de la Seconde Guerre mondiale.

— Vous savez que Barychnikov est propriétaire de cet endroit, et que ce piano lui appartient ?

— Et alors ? Il pourrait aussi bien se trouver à Brighton Beach, avec tous les paumés qui veulent se faire croire qu'ils sont encore en Russie.

— Où *aimez-vous* aller ?

— Je n'aime pas sortir. J'en ai déjà assez de passer tant de temps dans le métro. Quel cauchemar ! »

À ce moment, un homme vêtu de guenilles à l'autre extrémité de la voiture se met à gémir comme si sa famille entière venait d'être décimée. Mais plus on l'écoute et plus on comprend qu'il délire complètement. Il hurle, pleure, puis rigole doucement entre deux cris.

« D'accord avec vous, je concède, la ligne A, c'est l'horreur. »

Elle se prépare maintenant à descendre, se tortillant sur son siège et vérifiant longuement son sac à main avant de le fermer. Elle a des doigts étonnamment longs.

« Bien, c'était agréable de parler avec vous, dis-je. Peut-être pourrions-nous échanger nos adresses électroniques ?

— On se reverra sur la ligne A.

— Pourquoi dites-vous cela ? je lui demande, un peu refroidi.

— Pourquoi pas ?

— C'est une grande ville.

— Pas si grande que ça. Nous nous sommes déjà vus sur la ligne A.

— Quand ? Je ne m'en souviens pas.

— Normalement, je suis blonde. J'ai commis l'erreur de me teindre en roux. J'ai l'air ridicule.

— Je trouve que ça vous va bien. Mais je ne me souviens pas de vous en blonde.

— Vous m'avez pourtant regardée attentivement un jour.

— Je ne m'en souviens pas.

— Non ? Croyez-moi. Vous m'avez regardée avec insistance. Réfléchissez-y un peu, vous allez vous souvenir. »

Mince, ça semble tellement simple pour elle. Jamais une Américaine ne mentionnerait un incident de ce genre avec un tel détachement. Elle se ferait accusatrice, ou jouerait l'ignorance, ou exulterait, triomphante. Mais cette femme s'en tient aux faits, sans se formaliser. Et je me demande si cela signifie que mon apparence frappe davantage les esprits que la sienne. J'en doute. Manifestement, elle a une meilleure mémoire que moi. Mais elle me trouve des excuses. Pourquoi ? Peut-être est-elle imbue d'elle-même et incapable d'imaginer qu'on ne se souvienne pas d'elle. Non, elle n'a pas l'air comme ça. Elle se souvient, c'est tout. Cela n'a rien à voir avec moi, elle n'oublie pas quand elle a été la cible de l'attention de quelqu'un. Je répète : « Je ne me rappelle pas. Mais j'essaierai.

— Ça m'a fait plaisir de vous rencontrer. » Elle se lève et me tend la main en faisant même une petite révérence. Le sans-abri à l'autre bout de la voiture hurle encore plus fort.

Je devrais peut-être me lever. Mais à quoi bon ? Elle n'a pas voulu que nous échangions nos adresses électroniques, et, moi, je ne fais pas dans la subtilité. Vraiment pas, non, si comme elle le dit je l'ai bel et bien reluquée. Mais je ne me souviens pas d'avoir lorgné la moindre jolie femme sur la ligne A. La plupart du temps, j'essaie à tout prix de me soustraire à la foule. Je n'ai rien d'un banal coureur de jupons. Je suis certain de ne l'avoir jamais vue.

« C'est un plaisir partagé, dis-je. Quand vous ai-je vu la fois d'avant ?

— Il y a environ six semaines. Au revoir. »

La mémoire me revient aussitôt qu'elle est sortie. Elle était avec un barbu et ils parlaient d'obtenir leur permis d'agents immobiliers. Elle soutenait que c'était la seule chose à faire, que l'immobilier représentait la voie royale, qu'il y avait là énormément d'argent à faire. Elle portait une jupe noire légèrement au-dessus du genou, et ses cheveux étaient blonds. Ses lèvres pleines rouge vermeil offraient un contraste saisissant avec sa peau blanche, et elle avait des gestes élégants, un peu comme une ancienne patineuse ou ballerine. Elle savait que je la regardais. En fait, elle rendait mes regards, mais sans effronterie, parce qu'elle était calme et n'envoyait de signe ni d'appréciation ni de rejet, ni d'irritation ni de plaisir.

À un moment, l'homme à la barbe a pris sa main et s'y est cramponné. Puis il a serré la fille, l'entourant complètement de ses bras. Il portait au doigt un large anneau d'or. Il voulait désespérément la posséder, je pouvais le voir, mais il ne la possédait pas. J'ai su alors qu'elle était consciente de ma présence. Mais elle n'aurait pas dû l'être au moment précis où son petit ami (je présumais qu'il s'agissait de son petit ami ou même de son fiancé) l'embrassait avec tant de fougue et de plaisir. C'est alors que j'ai pensé, non, elle ne s'intéresse ni à moi ni à son petit ami, d'ailleurs. Elle est simplement en éveil. Et je me suis dit à ce moment-là que toute conversation avec elle était totalement impossible, et que c'était une terrible infortune.

Et là, presque miraculeusement, nous venons de parler. Elle n'a pas eu l'air trop étonnée que je ne l'aie pas reconnue, même si l'assurance avec laquelle elle m'a dit « Vous m'avez regardée avec insistance » laissait entendre que j'aurais dû me souvenir d'elle. Et maintenant, je me souviens. Je me souviens comment elle est montée dans la voiture, un peu hésitante, en prenant garde, comme quelqu'un qui marche sur de la glace. Et quand elle a pudiquement serré les genoux, comme pour se refermer en elle-même, elle l'a fait avec tant d'élégance que je me suis dit : « Elle doit être Russe. » Les Américaines ne font pas ces choses-là aussi consciemment – ou aussi sciemment. Et puis elle m'a jeté un coup d'œil, a soutenu mon regard un instant. Une conversation sans le moindre mot.

Elle est sortie de la voiture maintenant, mais la porte est encore ouverte. Je pourrais me ruer sur le quai et lui dire que je me souviens, mais à quoi bon ? Elle a deviné que je me souviendrais, et que nous nous reverrions.

Ou peut-être pas. Mais le seul fait d'avoir comblé mon désir de parler avec elle me suffit. Il n'y aura pas de suite. C'est un peu mince, comme intrigue, mais c'est très bien. D'une certaine manière, après le 11 Septembre, mieux vaut que les choses n'enflent pas, ne prennent pas la dimension d'événements majeurs. J'ai tellement écrit sur la guerre et le meurtre – et sur le crime et le sexe, également – que j'éprouve un vrai soulagement à être épargné par tout cela. C'était une rencontre fugace, mais sympa – plus sympa en tout cas qu'écouter l'autre fou beugler à pleins poumons comme s'il était à l'article de la mort ou que toute sa famille avait été massacrée.

Quand le métro parvient à destination, le fou descend aussi. Je rentre chez moi, j'ouvre la fenêtre et je l'entends hurler en bas, dans la rue. Son meuglement est si pénible et sauvage que je n'arrive pas à me concentrer sur mon Dos Passos – une scène dans laquelle un clochard lutte pour rester assis bien droit, craignant de tousser à en crever si jamais il se couche. Je ferme donc la fenêtre, même s'il se met alors à faire très chaud dans l'appartement. Quel vacarme insupportable, horrible et odieux fait cet homme ! Lui, je vais m'en souvenir. Son cri, je le reconnaîtrai.

Côtes

Le samedi, le courrier arrivait habituellement à onze heures. Mais Mira l'attendait dès neuf heures, buvant du café turc et lavant la vaisselle de la semaine ; n'eût été du courrier, son appartement mansardé n'aurait jamais été propre. Durant la semaine, elle enseignait l'histoire au secondaire, histoire que, sous le nouveau régime croate, elle avait dû réapprendre.

À onze heures moins le quart, elle descendit les escaliers poussiéreux. Les marches en chêne massif étaient usées, creusées au milieu. L'ampoule dans la cage d'escalier sans fenêtres était grillée, et aucun des locataires ne s'était donné la peine de la remplacer ; et personne dans l'immeuble ne semblait connaître le propriétaire. L'immeuble avait appartenu à l'État, mais sans doute quelqu'un au gouvernement l'avait-il « privatisé » pour ne plus avoir à s'en occuper tout en encaissant les loyers.

Pas de courrier dans la boîte aux lettres jaune placée sur la porte grise dont la peinture au plomb s'écaillait. Elle regarda dans la rue : aucun uniforme gris se baladant avec un gros sac de cuir en vue – et même, pas l'ombre d'un piéton. Elle jeta un œil sur les boîtes des voisins ; vides elles aussi. Alors il y avait encore de l'espoir pour le courrier d'aujourd'hui, de l'espoir pour ce qu'elle attendait : des nouvelles de son mari, appelé sous les drapeaux un an plus tôt. Cela faisait six mois qu'elle n'avait pas eu la moindre nouvelle. Et il n'était pas porté disparu. Elle n'avait pu obtenir aucune information le concernant auprès des autorités.

Quand il était à la maison, sa présence ne la réjouissait pas – et comment aurait-elle pu ne pas s'ennuyer, après vingt ans de mariage, avec quelqu'un qui n'aimait pas lire les mêmes livres, qui n'aimait même pas parler ? Mais il y avait quelque chose de terriblement menaçant dans la perspective de le perdre, et dans le fait de ne pas savoir si elle l'avait perdu ou non. Formaient-ils toujours une famille ? Ce n'était pas à eux d'en décider, mais à l'État, qui ne contrôlait plus la dérive des guerres balkaniques. Alors, de temps en temps, elle posait les yeux sur la photo en noir et blanc dans son cadre – Zarko, chauve, portant une grosse moustache noire et des sourcils en forme d'accents circonflexes. Ses sourcils lui donnaient un air sceptique et désenchanté. Mélancolique. Ils surmontaient de grosses paupières sillonnées de capillaires rouges. Que pouvait-il mieux voir en relevant ainsi ses sourcils ? Pourquoi soulève-t-on les sourcils ? Pour corriger son hypermétropie ? Elle ne l'avait pas tellement étudié quand ils étaient ensemble, mais maintenant, elle ne pouvait s'en empêcher. Il était chauffeur de tramway et avait abandonné son rêve de devenir artiste peintre parce qu'il n'arrivait pas à vendre ses tableaux et que l'acrylique était trop cher. Il n'aimait pas l'huile, prétextant que c'était trop long et qu'il fallait accorder trop d'attention à chacune des étapes et à l'ordre dans lequel on appliquait les couleurs, processus qui, selon lui, s'apparentait trop à la cuisine. La photo sur le mur avait été prise à l'époque où il conduisait encore des tramways et où il avait déjà laissé tomber l'art. Mais on ne pouvait expliquer son désenchantement aussi facilement, par des motifs purement commerciaux – ce serait trop marxiste, pensa-t-elle. Il s'était sans doute détourné de la production d'images parce que ses yeux n'avaient pas réussi à saisir ce qu'ils cherchaient, parce que son esprit n'était pas parvenu à capter cette chose indéfinissable qu'il avait espérée, et ce regard scrutateur qu'il avait sur la photo traduisait peut-être son inquiétude devant le vide qui s'offrait à ses yeux, devant la dissolution des choses vues, observées, dans une immensité dénuée de sens. Mais un autre événement l'avait peut-être encore plus chagriné que ce décrochage artistique : un accident. Un jour, alors que son tram démarrait après un arrêt, les portes à fermeture automatique s'étaient refermées sur la jambe d'un enfant. Zarko ne l'avait pas vu. Peut-être était-il trop distrait pour regarder dans les rétroviseurs. Les gens avaient hurlé, mais il ne les avait pas entendus à temps. Était-il trop absorbé par ses pensées, perdu dans ses rêves, pour comprendre que ces cris lui étaient destinés ? Il n'a pas vu le garçon dont la jambe était coincée tomber sur la route. Le tram avait traîné son corps. Et le temps que Zarko réagisse aux hurlements, l'enfant était passé sous les roues. À la suite de cet événement, son mari avait cessé de conduire des trams pour aller vendre des tickets à la gare, au comptoir des lignes internationales. Qui sait, pensa Mira en avalant une gorgée de son expresso vaseux, ce qui le faisait vibrer ? Pourquoi n'arrivait-il jamais à exprimer ses désirs, ses doutes, sa tristesse ? Et pourquoi ne peut-on pas trouver dans ce pays de meilleur café ? Chaque fois qu'elle voyageait à l'étranger, elle trouvait le café bien meilleur – à Vienne, à Milan, et même en Hongrie. Pourquoi la Croatie et l'ancienne Yougoslavie s'acharnaient-elles à importer le café le plus horrible, le plus insipide de la planète ? Peut-être gardait-il encore son arôme en arrivant, mais restait des mois et des mois dans des entrepôts ?

Elle but sa troisième tasse d'expresso, ou plutôt de dépresso, et descendit. Elle trouva une enveloppe bleue du ministère de la Défense, mais adressée à son fils, pas à elle. Elle l'ouvrit. Pero, son fils de dix-neuf ans, émergeait à peine. Il était sorti jusque très tard ; même s'il était fauché, il fréquentait bars et cafés. À croire que les jeunes passaient leur vie à gigoter sur de petites chaises dans les cafés de Zagreb. Une vie lamentable, mais il n'y avait pas de travail et les universités étaient en pleine débâcle – depuis le début de la guerre, la fuite des cerveaux s'était intensifiée : de nombreux profs serbes avaient été renvoyés, et une bonne part d'entre eux, Croates comme Serbes, étaient partis à l'étranger. Les remplaçants n'étaient pas toujours à la hauteur ; ils avaient obtenu leurs postes en faisant jouer leurs relations et en affichant une rectitude politique toute provisoire, ce qui à l'époque tenait lieu de patriotisme. La qualité de l'enseignement avait alors fortement décliné, et Pero soutenait qu'il ne servait à rien d'étudier dans ces conditions. Mira aimait son fils, mais elle détestait sa paresse et la vie qu'il menait. Elle aurait voulu qu'il travaille comme ouvrier pendant un an, n'importe quel boulot, simplement travailler au lieu de traînasser, de regarder ces consternantes émissions de télé ou de lire des bouquins américains atrocement mal traduits.

Pero était debout, chancelant près du lavabo, tordant un tube de dentifrice vide.

« Tu sais ce que ça veut dire ? » demanda-t-elle à Pero, qui exhibait ses dents blanches devant le miroir.

Il lut l'avis.

« Oui, ils veulent probablement que je parte en Bosnie participer à cette saloperie de guerre.

— Exact.

— Merde, j'irai pas !

— Et comment penses-tu y échapper ?

— Je prendrai la fuite, à l'étranger.

— Mais ton passeport est expiré, et tu ne peux pas en obtenir un nouveau sans une dispense de l'armée. Et que feras-tu à l'étranger ?

— Je pourrais peut-être passer la frontière de nuit ? Plus personne ne surveille les frontières comme avant. »

Il cracha du dentifrice blanc dans le lavabo et s'essuya la bouche, et ses lèvres blanches comme celles d'un clown se détachaient sur son visage empourpré par la colère.

Le cousin de Mira, un médecin, écrivit un billet établissant que Pero souffrait d'hypertension, 200/100. « Je pourrais t'envoyer une semaine à l'hôpital pour déterminer si tu es malade ou si tu fais semblant, dit à Pero le directeur du bureau de recrutement. Mais ce serait une perte de temps pour tout le monde. Parce que, que se passera-t-il si tu fais vraiment de l'hypertension ? Si les Serbes et les musulmans envahissent Zagreb, ne faudra-t-il pas de toute manière que tu te défendes ? Et qu'est-ce que tu feras alors ? Mourir d'une crise cardiaque ? Allons donc, tu me sembles en parfaite santé. Personne n'en a rien à foutre, que tu fasses de l'hypertension. Tu en feras pareil si tu restes à la maison ! Crapahuter dans la forêt va te faire le plus grand bien. Rentre chez toi, prends tes sous-vêtements et reviens dans trois jours. »

Pero rentra à la maison avec une bouteille d'alcool.

Mira était hors d'elle. Ne leur suffisait-il pas de lui avoir pris son mari ? Et pourquoi ? Pour un pays de pacotille au nom duquel quelques voyous s'enrichissaient pendant que tout le monde sombrait dans la pauvreté ?

Comment pourrait-elle continuer à vivre si elle perdait son fils ? Que ferait-elle ? Grossir les rangs des Mères contre la guerre et pousser des coups de gueule ? Elle l'avait déjà fait ; elle avait manifesté avec ce groupe de protestataires bien organisé dont les manifestations réunissaient des centaines de femmes qui marchaient pacifiquement à Zagreb, à Osijek, à Rijeka, et dans plusieurs autres villes de Croatie. Une fois, elle avait traversé la Hongrie et la Serbie en train avec d'autres mères pour rejoindre une organisation semblable en Serbie. Ensemble, les deux groupes s'étaient réunis devant le Savezna Skupstina (le parlement), brandissant de grandes photos de leurs fils et filles bien-aimés, parce que, oui, il y avait aussi des filles dans cette guerre. Elles menaçaient de prendre d'assaut le parlement, mais la police les en avait dissuadées, non par la force, mais en leur jurant qu'il n'y avait personne à l'intérieur. Tous les politiciens regardaient le match de foot opposant le Zvezda au Dinamo de Kiev. Et, de toute façon, Milošević ne venait jamais au parlement. Les policiers leur dirent : « Votre meilleur espoir, c'est d'attirer l'attention des caméras pour que votre manifestation passe aux informations, ou celle des journalistes pour qu'ils publient vos photos dans les journaux. » Et alors que les mères étaient rassemblées là, ignorées des politiciens et des médias, elles parlèrent de leurs enfants et de leurs maris, et bien vite les mères serbes se mirent à accabler de reproches les mères croates, et les mères croates réservèrent aux mères serbes le même traitement, et la manifestation pacifique dégénéra en pugilat. Mira sortit de la mêlée avec un œil au beurre noir. Et sans l'intervention de la police, l'échauffourée aurait eu de bien plus graves conséquences pour les mères croates, beaucoup moins nombreuses. Elles prirent la fuite, dévalant la forte pente d'une rue pavée, se tordant les chevilles, jusqu'à la gare, où elles s'engouffrèrent dans des compartiments occupés par quelques soldats bien sages, en route vers Novi Sad. Courtois, ils leur offrirent des strudels aux graines de pavot faits maison, et il était difficile d'imaginer qu'ils étaient des conscrits en permission, des tueurs.

Non, elle n'allait pas aller rejoindre les Mères contre la guerre. Elle sauta dans un tram pour le bureau de recrutement et demanda à parler au directeur, qui était trop occupé pour la recevoir. Elle l'attendit donc jusqu'à la fin de sa journée de travail et le suivit sur le parking jusqu'à sa BMW noire. Il marchait seul, sans escorte – fait plutôt remarquable, pensa-t-elle.

« Excusez-moi, monsieur, pourrais-je vous parler de mon fils, Pero Ivicic?

— Pourquoi tout le monde veut-il me parler de son fils?

— Mais il fait de l'hypertension, pourriez-vous lui permettre de rester à la maison?

— Ce n'est pas mon boulot. Si le recruteur a dit qu'il pouvait y aller, il doit y aller.

— Combien voulez-vous que je vous donne pour changer ça?

— Vous voulez que je passe discrètement les dossiers en revue et que je retire le sien? C'est délicat. Je ne suis pas à vendre.

— Vous êtes sérieux? Je pensais que tout le monde acceptait des pots-de-vin.

— De combien parlons-nous, ici? demanda-t-il tout en ouvrant sa portière à l'aide de sa télécommande.

— Huit cents marks. »

Il se moqua. « À ce prix, vous arriverez peut-être à susciter ma sympathie.

— Je n'ai plus un sou. Mon fils est tout ce qui me reste. Mon mari n'est jamais revenu de Bosnie. Peut-être pourriez-vous vous renseigner à son sujet?

— Ce n'est pas mon boulot.

— Et c'est quoi, votre boulot? »

Il rit. « Je pourrais laisser mon collègue qui traite des trucs de ce genre s'occuper de ça. Enfin, c'était quoi, son nom?

— C'est toujours, je l'espère, Zarko Ivicic.

— Zarko Ivicic?

— S'il vous plaît, faites que quelqu'un me dise où se trouve mon mari.

— Mais pour votre fils, je ne peux rien faire. Nous avons besoin de soldats; nous n'en avons pas assez pour couvrir tout le front. Vous savez comment est fait notre pays. Comme une banane : des frontières partout, et de territoire nulle part. C'est tout ce qu'on a, des frontières impossibles à protéger. »

Il la considéra. « Comment votre fils s'appelle-t-il, déjà? Désolé, je suis nul avec les noms. Ça me prend deux ou trois fois avant de m'en souvenir. Et votre nom à vous?

— Mira Ivicic. Et mon fils s'appelle Pero.

— Et Zarko Ivicic? soupira-t-il. D'accord, je m'en souviendrai. »

Il lui jeta de nouveau un regard, de bas en haut, comme pour établir ses proportions. « Si vous voulez discuter plus longtemps, allons prendre un café au Gradska Kavana. »

Le Kavana était un vénérable établissement du centreville, avec un sol de marbre, de hauts plafonds et des quotidiens montés sur des baguettes de bois que des vieillards tremblotant aux doigts jaunes et aux cheveux blancs lisaient à vitesse de tortue, leurs lèvres bleues bougeant de manière asymétrique. D'épais rideaux de velours pourpres pendaient en vagues rondes et verticales, bloquant la moindre lumière venant de l'extérieur, même là où ils ne couvraient pas les fenêtres. Les marquises descendaient si bas qu'elles endiguaient l'éclat du soleil et, à l'intérieur, des ampoules en forme de bougies disposées sur des roues ne diffusaient qu'une faible lueur orangée.

Ils s'assirent dans un coin, et un serveur vêtu du traditionnel costume blanc et noir se présenta.

Mira posa la main sur la surface de marbre de la table et fut frappée par sa froideur.

« Deux cappuccinos », demanda le directeur.

Elle se sentait déjà très tendue à cause de son café du matin et des mauvaises nouvelles qu'elle avait reçues, elle savait que le cappuccino serait de trop.

Elle tremblait à cause de l'excès de café et de la peur et, en outre, de l'incertitude de ce qui allait être dit. Cet homme grave possédait une beauté un peu rugueuse, avec sa barbe du soir qui faisait ressortir son menton et teintait de bleu sa lèvre supérieure. D'ailleurs, avec ses cheveux grisonnants, ses yeux bleus et le nuage de fumée bleue qui l'enveloppait, il était tout à fait bleu. Elle se demanda si sa veste bleue et sa chemise bleue tiraient leur couleur de ses yeux et de ses cheveux. Quand elle souleva son verre d'eau, sa main tremblait tellement que l'eau clapota et faillit se renverser. Elle saisit son verre à deux mains pour boire. Elle ne s'était pas retrouvée dans les bras d'un homme depuis un an, et il y avait un érotisme désarmant dans l'incertitude et la menace que représentait celui-ci. Cette sensation érotique en apparence triviale au regard de sujets autrement plus importants, comme la liberté de son fils, ne faisait qu'ajouter à la palpitation vague, mais irrépressible de ses sens.

« Si vous couchez avec moi, je serai bon pour vous, je vous aiderai, lui dit le directeur.

— Pourquoi voudriez-vous coucher avec moi ?

— Quelle question ! Parce que je vous trouve attirante.

— Si vous voulez du sexe, vous pouvez en avoir facilement. Je pourrais vous donner mille marks allemands – je pense que je pourrais en emprunter deux cents. De quoi vous payer dix prostituées. Je n'en suis pas une.

— Je reçois constamment des offres de pots-de-vin, mais ça ne m'excite pas. Alors les gens m'offrent des femmes.

— Mais les femmes sont aussi des gens.

— Sans doute, sans doute. Les gens offrent du sexe, aussi. Mais c'est différent. Je suis difficile.

— Devrais-je me sentir flattée ?

— Plutôt, oui.

— D'être traitée comme une putain ?

— Oh, ne le prenez pas comme ça. Disons plutôt comme une beauté, une femme de la bonne société.

— Et c'est vous, la bonne société.

— J'en ai bien peur, dit-il en riant. Et puis ce n'est pas vraiment ce que je veux dire. Vous pourriez me voir comme un ami.

— Je ne sais pas si je peux vous faire confiance.

— Bien sûr que vous ne le savez pas. Qui peut accorder sa confiance les yeux fermés de nos jours ? »

Elle sentit le tibia de l'homme glisser sur son mollet. Les poils de ses jambes au-dessus des chaussettes chatouillèrent sa peau nue.

Sans réfléchir, elle le gifla. Le coup résonna et la paume de sa main fut envahie de chaleur.

« Pleine de fougue, hein ? dit-il. J'aime ça. Du feu ! De quel signe êtes-vous ?

— Du signe allez-vous-faire-voir. »

Elle se leva et partit.

« Hé, hé, lui cria-t-il. Je voulais juste plaisanter ! »

Après quelques coins de rue, elle se demanda : qu'est-ce qui est pire, coucher avec un sale type ou envoyer son fils mourir en Bosnie. La question ne se posait pas. Il lui resterait peut-être une pointe de culpabilité ou de malaise pour le reste de ses jours, quand elle se souviendrait s'être donnée au directeur, mais au moins elle et son fils auraient une chance de partager leur vie plus longtemps. Et elle pourrait dissiper son embarras en pensant que son sacrifice avait sauvé son fils, lui avait donné une seconde naissance… et elle se souviendrait alors avec bonheur de l'aide qu'elle lui avait apportée. Encore quelques coins de rue plus loin, elle fit demi-tour et revint au Kavana, mais l'homme était parti. Elle s'assit tout de même et commanda un verre de blanc.

Son fils était réveillé lorsqu'elle rentra à la maison. Il n'était pas sorti. Il était assis à la table à dessin et dessinait des pics-verts, comme il adorait le faire, enfant, quand il était malade. Et là, il avait l'air dépité, le teint cireux, l'échine courbée.

« Où étais-tu ? lui demanda-t-il.

— Comment ça, où j'étais ?

— Tu t'es absentée longtemps… et je vais bientôt partir.

— Parlons-en, justement. Je suis allée au bureau de recrutement pour voir si je pouvais leur graisser la patte pour que tu n'aies pas à t'enrôler.

— Le bureau est ouvert si tard ? Et puis ?

— Crois-le ou non, le directeur du recrutement n'accepte pas de pots-de-vin.

— Incroyable. Combien as-tu offert ?

— Mille marks.

— Ce n'est pas assez. Donne cinq mille.

— Où vais-je les trouver ? »

Cette nuit-là, elle ne parvint pas à dormir, incapable de ne pas penser au directeur. S'il ne l'avait pas approchée de manière aussi grossière, s'il ne l'avait pas fait chanter en lui proposant la liberté de son fils en échange de faveurs sexuelles, elle aurait accepté de coucher avec lui. Mais là, il l'avait souillée, et s'était avili lui-même, et avait avili le sexe, et ce ne pourrait plus être dès lors qu'un acte sordide. Sauf que son fils serait libre. Mais l'acte sexuel serait sordide et utilitaire. Était-ce là une subtile distinction ? Quelle différence cela faisait-il, la manière dont il avait abordé le sujet ?

Sa sensualité avait été mise en éveil à maintes occasions, parfois pendant des jours entiers. La guerre et les bombardements sporadiques, surtout au début, quand elle avait passé plusieurs mois à Ojisek, dans l'est de la Croatie, l'avaient remplie d'une sensation d'exaltation et de faiblesse qui avait affecté son éros. La guerre avait littéralement plongé le pays dans le noir, avec ses coupures de courant, et lui avait donné une énergie sauvage que Mira percevait partout. Dans la rue, les gens se regardaient avec hargne ; parfois, elle se sentait presque nue sous le regard insistant des hommes.

Elle s'habillait impeccablement et, quand son budget ne lui permit plus d'acheter de nouvelles robes, elle se les confectionna elle-même. Elle marchait de grandes distances pour aller faire ses courses au marché et continuait ensuite jusqu'au travail, deux kilomètres plus loin, ce qui fait qu'elle restait mince et qu'elle bougeait avec grâce, puisqu'elle avait l'habitude de marcher, de travailler, mais sans jamais rien faire d'exténuant. Au milieu de la quarantaine, elle se sentait mieux qu'à vingt ans, et elle remarquait que les hommes la dévoraient des yeux.

Dans la chambre d'à côté, son fils grogna dans son sommeil.

Le lendemain matin, il était en piteux état. Il fumait, lui qui avait pourtant arrêté. Ou peut-être avait-il fait semblant et n'avait plus envie de simuler.

Après avoir mangé deux œufs et des oignons frits au déjeuner, il vomit.

Il lui restait deux jours avant de partir.

Elle appela au travail pour dire qu'elle était malade ; elle enseignait l'après-midi. Un prof qui se fait porter pâle, quel bel exemple ! Mais pourquoi pas ? Elle était sous-payée. Et elle se sentait vraiment malade.

Elle appela le directeur.

« Vous avez changé d'avis ? Formidable !

— Est-ce que deux mille marks feraient l'affaire ?

— Non, pas d'argent. Seulement nous.

— Si nous couchons ensemble, qui me dit que vous serez vraiment disposé à nous aider ? Et quel recours aurai-je si vous ne faites rien ? Et si vous perdez tout intérêt pour moi après la première fois, attendez, ne m'interrompez pas, je sais de quoi les hommes sont capables.

— Impensable. De toute façon, je ne peux parler de ça au téléphone. Il y a ma secrétaire, des collègues… »

Ils se retrouvèrent dans l'appartement d'un de ses amis à lui, dans un vieil immeuble jaune et décrépi qui tremblait chaque fois qu'un tram passait. Ils étaient assis sur le canapé, à boire du riesling, quand un morceau de ciment tomba du plafond sur la table du salon.

« Mon Dieu ! s'exclama-t-elle. Cet immeuble doit avoir au moins deux siècles, et s'il réagit comme ça chaque fois qu'un tram passe, je me demande comment il tient encore debout.

— Bonne question, dit-il, avant de boire une gorgée. Il y a trop de lumière ici », ajouta-t-il, et il ferma les volets roulants qui se trouvaient à l'extérieur des fenêtres. L'un d'eux se coinça et resta pendu en diagonale.

« Vous vous rendez compte, dit-il, que vous ne m'avez même pas demandé mon nom ?

— Pourquoi le ferais-je ? Vous croyez que je ne l'ai pas vu dans l'annuaire du bureau ?

— Je n'y donne que l'initiale de mon prénom et mon nom de famille. Alors, comment est-ce que je m'appelle ? »

C'était vrai, elle ne connaissait que son patronyme. « Petrovic, dit-elle.

— Pas de prénom ? Ça ne vous dérange pas ? Vous voyez, je m'intéresse à vous, je vous demande votre nom, je vous pose des questions personnelles, mais vous, vous n'avez aucune envie de me connaître. Alors, qui veut tirer profit de qui ? Je vous le demande.

— Vous n'avez pas tort, admit-elle. Mais vous savez, pour moi, vous êtes juste vous. Nous n'avons aucune connaissance en commun, et n'en aurons probablement jamais, alors nous n'avons pas besoin de noms. C'est juste moi et vous.

— Pas tout à fait. Mais peu importe, je m'appelle Branko.

— Oh, enchantée. » Dans un geste ironique, elle tendit la main et l'abandonna mollement dans la sienne. Cette dernière lui sembla chaude et sèche, ce qui signifiait que la sienne était froide et humide. Joyeusement, il la porta à ses lèvres.

Ils se déshabillèrent. Elle émergea de sa robe et, d'un coup de hanche, la fit glisser le long de ses jambes. La chute des vêtements créa un courant d'air froid qui la caressa. Ses genoux se touchaient, tout comme ses chevilles, et son bassin était incliné. Elle pensa qu'elle avait inconsciemment adopté la posture d'une sirène, puis, s'en apercevant, en éprouva de la gêne. Plus le courant d'air frais, qui ne venait manifestement plus de sa robe mais de la mauvaise fenêtre, l'effleurait, et plus elle prenait conscience de sa peau, et même de ses poils. Elle n'avait pas cédé au diktat américain qui voulait que l'on se rase les jambes. Coca-Cola pouvait les séduire par le gosier, l'OTAN pouvait pulvériser la région, mais Gillette et Sharon Stone ne posséderaient jamais ses poils, ne martyriseraient pas sa peau de leurs lames. Ses poils clairs, à peine visibles, faisaient office de minuscules capteurs, de petits radars capables de détecter les mouvements de l'air et des épidermes. Ils formaient une zone érogène, ou plutôt l'avant-garde d'une zone érogène, et pour elle, rien n'était plus sensuel que le moment qui précède le contact de deux épidermes, quand les poils se courbent sous la chaleur de la peau qui s'approche. Quand l'air chaud agite les poils, une force subtile se répand à travers les boucles, se chargeant d'électricité. L'échange précédant le contact des peaux entre alors dans un temps qui lui est propre, dans sa propre sphère de lenteur ; et si les épidermes pouvaient rester quelques minutes à une distance légèrement inférieure à celle de la longueur d'un poil en émoi, alors elle parviendrait à la plus fabuleuse excitation des sens, transcendant les zones érogènes, les orgasmes locaux et provinciaux ; tous ses poils emmagasineraient ces microfrissons en une gestalt où elle serait davantage que la somme de toutes ses parties ; elle serait elle-même, dans son corps et hors de lui, projetée dans les astres, révélée à la surface et au-delà de la surface, sans toutefois se dissocier d'elle-même et du monde.

Mais l'instant n'avait rien d'aussi raffiné, se souvint-elle. Elle se retrouvait là pour son fils, prête à sacrifier l'intégrité de son aura corporelle et de son moi, mais plus elle était à l'écoute de ses sens, et plus la notion de sacrifice s'estompait. Elle détestait et craignait peut-être l'homme en face d'elle, mais cela n'affectait en rien le frisson qu'elle sentait monter en elle. La peur de cet homme exacerbait ses sens d'une manière diffuse. Et cette crainte, qui n'avait pas réussi à la faire fuir, lui coupa le souffle pour des motifs purement sexuels. Peut-être sa méfiance envers ce type lui tenait-elle lieu d'aphrodisiaque ?

Il se déshabilla également et baissa son boxeur rouge. Il avait les jambes musclées, avec de gros mollets et de gros quadriceps, et des poils en abondance. Qu'elle l'ait aimé ou détesté, cela n'avait pas d'importance ; elle aspirait à un embrasement des sens, des muscles.

Ils se rapprochèrent, mais leur peau n'eut pas le temps d'être traversée par une décharge électrique, car ils se jetèrent l'un sur l'autre. Elle adora se serrer étroitement contre lui, sentir ses muscles à elle écraser ses muscles à lui jusqu'à sentir l'os. Ses seins comprimés contre ses côtes. Les mains de l'homme, avec leurs effluves de champs de tabac ensoleillés, vagabondaient ; l'une saisit sa cuisse, l'autre sa nuque. Ils tombèrent sur le lit.

Il continua de la toucher, lui caressant les seins et les cuisses, et, oui, elle aimait ça, mais elle avait surtout envie d'être écartelée, envahie, elle aspirait à une capitulation momentanée, au frisson de la perte de contrôle, de la défaite, de la défaite mutuelle, mais, soudain, l'homme s'éloigna, pantelant. Un nuage de fumée bleu semblait se dégager de son front, même s'il n'avait pas allumé de cigarette.

Il avait l'air humilié, et elle en éprouva une sorte de tranquillité, et cette tranquillité la déçut. La situation était devenue banale. Pas de menace, pas d'embrasement. Et elle s'inquiétait pour Pero : est-ce que tout cela servirait à quelque chose ?

« Je n'ai pas la tête à ça aujourd'hui, dit-il d'une voix rocailleuse, sans essayer de se racler la gorge. Ma fille est à l'hôpital avec une pneumonie, et je me sens inquiet, coupable.

— Comment cela pourrait-il être ta faute ? Et que fais-tu ici alors ?

— Non, ce n'est pas ma faute. Enfin, je ne sais pas, j'aurais peut-être dû chauffer davantage la maison. Ou lui acheter des oranges. Je ne pense pas à ces choses-là. Et ma femme non plus.

— Alors, que fais-tu avec moi ?

— Bonne question. Je le voulais, tu sais, j'y ai pensé, et je te désire toujours, mais le moment est mal choisi. Désolé !

— Il ne faut pas. Pourquoi le serais-tu ? Mais ça compte quand même, n'est-ce pas ? Tu vas sortir mon fils de là, hein ? »

Elle était déconcertée. Cet homme s'était présenté à elle comme une brute et un type prêt à l'exploiter, et voilà que, en plus de ne pas bander, il jouait les pères de famille inquiets. Peut-être voulait-il simplement discuter avec elle. Peut-être n'avait-il évoqué le prétexte de l'exploitation sexuelle que pour lui parler ?

Il but du riesling tiède de la mince bouteille verte. « C'est marrant, dit-il. Je n'arrête pas de penser à mon enfance, sans savoir pourquoi.

— Je ne le sais pas non plus, répondit-elle.

— Comment était la tienne, heureuse ?

— Oh, je t'en prie ! Une enfance heureuse, oui, pleine de gamins aux pieds nus, de chats, de chiens, de canards, de chevaux, dans le village bucolique de Zagorje. Que demander de plus ? Qu'attendons-nous de l'enfance ? Qu'elle fournisse une explication à nos problèmes ? C'est dépassé, même en psychothérapie. » Elle n'était pas sûre de cela, mais avait éprouvé le besoin de le dire, peut-être parce qu'elle se sentait peu encline aux confidences sentimentales, peu chaude à l'idée de déballer certaines parties de sa vie et d'en dissimuler d'autres. Pas maintenant en tout cas. Où était passée l'idée d'une bonne baise toute simple ?

« Pour ma part, enchaîna le directeur, je pense que l'enfance a son importance si elle a été malheureuse. J'ai grandi à Stuttgart, sur une colline, près de l'hôpital militaire américain, dans un immeuble gris foncé, et mon père était *gastarbeiter*, maçon. Il haïssait son boulot. Son corps avait souffert des années passées dans les camps communistes où on l'avait envoyé parce qu'il combattait aux côtés des Croates à la fin de la Seconde Guerre mondiale. Il n'avait plus que la peau sur les os quand il a sauté dans un train et s'est enfui en Italie. Il était salement amoché, plein de colère, et s'est assuré de ne pas traverser seul cette épreuve. Tous les soirs, il se soûlait et nous battait, ma mère, mon frère et moi, à coups de poings et de chaussures… Et j'ai malgré tout pleuré sa mort. Il est tombé d'un immeuble et s'est brisé le cou. Bizarre, mais, après sa mort, ma mère a complètement changé. Elle était à bout de nerfs, et c'est elle qui a commencé à nous taper dessus chaque soir.

— Charmant ! Et c'est ce qui t'a amené à travailler pour l'armée croate ?

— Oh ! ce n'est pas si simple. »

Il était assis sur le bord du lit, aux pieds de Mira, tandis qu'elle était étendue, adossée à deux oreillers, les seins à l'air. Elle ne voulait pas les couvrir ; elle aimait l'air frais sur sa peau, et se montrer nue devant un homme, même s'ils ne pouvaient pas faire l'amour, lui donnait une sensation de légèreté. Peut-être toutefois était-ce un acte d'agression, d'exhiber ainsi sa féminité devant lui et de remettre ainsi en question sa masculinité.

« En vérité, j'ai menti, admit-il.

— Au sujet des blessures de ton enfance ?

— Non, pas cette partie, mais le présent. Ma fille

va bien. Elle n'est pas malade. En fait, je n'ai même pas de fille.

— Pourquoi inventerais-tu des choses pareilles ?

— Bonne question. Je ne sais pas. Peut-être pour me justifier. Je veux dire, mon manque d'excitation.

— Pas besoin de se justifier. Il y a toujours le Viagra.

— Hé, ne te moque pas. Je… c'est la première fois que ça m'arrive. »

Avec la tête baissée près de ses genoux, il formait une lettre C qui menaçait de devenir un zéro. Quelle métamorphose pour une figure d'autorité, tout ça à cause d'une érection avortée. Ridicule, pensa-t-elle. S'il avait une érection maintenant, elle bouclerait la boucle. Que cherche-t-il dans tout ça ? Étrange, ce qui fait courir les hommes, pensa-t-elle. Mais à le voir si vulnérable et si triste, il lui apparut comme un homme ; ce n'était plus seulement un bureaucrate guidé par sa queue qui tenait dans les mains le destin de son fils. Elle éprouva pour lui un moment de compassion.

« On pourrait essayer de nouveau », dit-elle, en tapotant de ses orteils le flanc de l'homme, au-dessus de la hanche, près de l'endroit où devait se trouver le rein.

Il se tortilla, mal à l'aise.

Il y a quelques heures à peine, il jouait au chat et à la souris avec elle, lui étant le chat, et là, le voilà qui se faisait souris, et elle toute chatte. Elle rigola.

Il commença alors à s'éloigner encore plus, à l'extrémité du lit.

« Tu ne veux vraiment pas ? On peut continuer à se caresser, ne t'inquiète pas pour le sexe. C'est érotique et agréable aussi.

— Non, enfin, je ne veux pas dire ça… tu m'attires. Le sexe m'attire, crois-moi, malheureusement. Mais il y a plus urgent. J'aurais dû te le dire tout de suite, mais je ne savais pas comment, ni si je devais te le dire, et là, juste parce que je t'aime bien, je ne peux pas ne pas te le dire. Et, pourtant, je pense encore que je devrais me taire.

— Quoi ? Arrête de tourner autour du pot. Si tu as quelque chose à dire, dis-le. Je suis capable d'en encaisser. De quoi s'agit-il ? T'as une horrible maladie vénérienne ? Et alors, on n'a qu'à sortir et acheter des capotes. Merci de te montrer si prévenant.

— Ce n'est pas aussi simple. C'est au sujet de ton mari. Nous étions ensemble, dans la même compagnie, en Bosnie.

— Est-ce qu'il est vivant ? » Elle sauta hors du lit.

Branko Petrovic resta silencieux.

« Sais-tu s'il est vivant ?

— Je vais y venir. Je vais te raconter ce que je sais. »

Elle se couvrit les seins de ses mains puis, frappée par l'absurdité du geste, laissa retomber mollement ses bras.

« Nous tous, en tant que membres de l'armée croate en Bosnie, étions à Stupni Do. Tu sais ce qui s'est passé à Stupni Do ?

— Qui n'est pas au courant ? C'était horrible ! Vous avez participé à ce massacre ?

— Nous allions de maison en maison à la recherche d'armes et de soldats musulmans, dans les caves, mais il n'y avait ni armes ni soldats. Je suis sûr que notre commandant savait qu'il n'y avait pas de soldats ; il voulait répandre la terreur, c'est tout. Tu sais, ça marchait pour les Serbes : ils massacraient un village ou deux, en faisaient courir le bruit, et les occupants de toute la zone prenaient la fuite. Nos officiers imitaient les Serbes, j'en suis sûr. Le commandant ne nous avait pas expliqué ça, il nous avait simplement dit de faire du porte-à-porte et de tirer, parce que des soldats se cachaient. Je le jure, je ne savais pas ce que nous faisions, pas au début en tout cas.

— Comment pouviez-vous ne pas savoir ce que vous faisiez ? Vous abattiez de vieilles femmes ? Comment auriez-vous pu ne pas savoir ?

— Les hommes ouvraient la voie en tirant dès qu'ils entraient dans une maison, tuant tous ceux qu'ils trouvaient sur leur chemin, dans la fumée des fusils et des gaz lacrymogènes. Parfois, nous jetions des grenades dans les caves sans même regarder qui s'y trouvait. Il fallait agir très vite, avant que d'autres troupes n'entrent dans le village. Nous avons incendié beaucoup de maisons.

— Tu as fait ça ? Mon mari aussi ?

— Nous avons tous fait ça, dans une certaine mesure.

— Dans une certaine mesure ? Mon mari a tué au hasard, juste comme ça ? »

Mira était horrifiée. Elle avait vu les vestiges du village à la télé par satellite. La télé croate n'avait rien montré à l'époque. S'il avait fait ça, peut-être était-ce préférable qu'il ne revienne pas.

« Oui, je suis sûr qu'il a tué une ou deux personnes. Nous tirions tous avec un terrible empressement parce que nous n'avions pas beaucoup de temps, et les Britanniques n'étaient pas très loin, et les officiers croates nous poussaient. La frénésie était totale, on n'arrivait pas à penser normalement.

— C'est une sorte de justification ?

— Non, personne ne parle de justification. Mais ton mari a fait quelque chose de noble. Stupide, mais noble. Il a protesté en voyant des soldats battre un enfant de dix ans et menacer de le poignarder. Zarko a tenté d'arrêter le passage à tabac, alors un officier l'a abattu, à bout portant, en plein visage, avec un semi-automatique. Il lui a fait sauter la tête.

— Mon Dieu, et tu as vu ça ?

— Oui, c'est ça le problème. C'est pour ça que j'hésitais à t'en parler.

— Alors il est mort ?

— J'en ai bien peur. Aucune chance qu'il ait survécu.

— Mon Dieu ! Tu en es sûr ? Je veux dire, il y avait de la fumée, et vous étiez pressés…

— C'est pour ça que je suis ici. Pour te le dire.

— Tu aurais pu me le dire tout de suite, au Kavana.

— Ce n'est pas aussi simple. Il fallait que je te connaisse un peu. Que je puisse te faire confiance. Il s'agit d'informations sensibles. En t'avouant que j'étais à Stupni Do, je mets mon destin entre tes mains, tu comprends ? Tu pourrais me dénoncer. Personne ne doit savoir que j'étais là-bas !

— Pourquoi me dis-tu ça ? Tu voudrais que je te dénonce ? Tu penses que tu pourrais te retrouver à La Haye ?

— Non, bien sûr que non. Mais je ne veux pas jouer de mon pouvoir avec toi, avec le destin de ton fils, alors je veille à l'équilibre des joueurs en présence.

— Est-il enterré ? Où ?

— Je pense qu'il a été brûlé avec les musulmans. On était partis à ce moment-là. Je n'ai rien vu. Si tu veux le trouver, il faudrait que tu ailles en Bosnie. Il serait peut-être possible d'identifier des ossements.

— Tu mens. Tu as déjà menti avant.

— Non. J'aimerais, mais je ne mens pas.

— Quelle horreur ! Quelle horreur ! » lâcha-t-elle, tout en étant frappée par la faiblesse de ses mots. Elle aurait voulu s'en prendre à cet homme, mais cela semblait futile. Elle était toujours nue, assise sur les grandes planches lisses du parquet, les bras serrés autour de ses genoux. Elle imaginait son mari et l'enfant. Se pouvait-il qu'il ait vu en lui le garçon mort sous les roues de son tram, le fantôme de sa culpabilité ? Qu'il ait perçu là un moyen de racheter ce moment de distraction et de rêverie, de se tenir debout et de sauver l'enfant ? Et ça, après avoir balancé une grenade sur des civils réfugiés dans une cave. Comment quelqu'un peut-il continuer à vivre après ça ? Peut-être est-il mort heureux ? Quelle importance ? Était-ce la fin qu'il avait envisagée de son regard mélancolique ?

— Et le garçon, est-il vivant ? A-t-il été sauvé ?

— Je ne sais pas.

— Et toi, qu'est-ce que tu as fait ? Tu as essayé de sauver mon mari, de sauver l'enfant ?

— Rien. Que voulais-tu que je fasse ? » Il venait d'enfiler son pantalon et bouclait sa ceinture, laissant ainsi déborder ses poignées d'amour d'homme au mitan de la vie.

— Tu n'aurais pas pu protester, toi aussi ? Si un nombre suffisant d'entre vous s'étaient opposés, rien de tout cela ne serait arrivé.

— J'en doute. Il y avait là assez de soldats dérangés, bourrés, drogués, qu'ils nous auraient descendus même si trois ou quatre d'entre nous avaient protesté. Et ce n'est pas tout… nous nous serions entretués.

— Cela n'aurait-il pas mieux valu ?

— Comment ça ?

— Alors, que me suggères-tu ? Comment est-ce que je l'enterre ? Enfin, à quoi bon ?

— Non, je vais te dire quoi faire. Mais je ne veux pas t'aider. Personne ne doit savoir que j'étais là-bas, que j'ai participé à cette opération, tu comprends ? Je ne veux pas me retrouver à La Haye.

— Pourquoi pas ? Peut-être pourrais-tu contribuer à

faire la lumière ? Comment peux-tu te regarder dans une glace ? Vivre avec ça sur la conscience, si tu en as une ?

— C'est à moi d'en décider, d'en juger, pas à toi ni au tribunal de La Haye. Je suis le seul à savoir comment ça s'est passé pour moi, en moi. Personne ne peut juger l'âme d'un homme. Mais ne t'en fais pas, ton fils est en sécurité. Il n'ira pas grossir les rangs de l'armée, j'y veillerai. Mais si tu parles à quiconque de notre conversation, il devra y aller. Et on l'enverra au pire endroit, sur le front, tu piges ?

— Tu me menaces, en plus ?

— Je ne te menace pas, je t'informe.

— Ou, comme tu dis, tu "veilles à l'équilibre des joueurs en présence". À quel jeu joues-tu ? C'est un jeu pour toi ? Tu t'amuses bien ?

— Je ne joue à aucun jeu. L'équilibre des joueurs, c'est juste une image. Je n'arrivais pas à exprimer clairement ma pensée. Je ne m'exprime pas bien quand je te donne l'impression de te menacer. Et, non, je ne menace pas. Nous sommes ensemble pour faire l'amour. Peut-être pour nous aimer.

— Mais tu as dit que tu n'étais pas ici pour coucher avec moi, mais pour me confier ton secret.

— Ce n'est pas exactement ce que je voulais dire. Je devais dire ce que j'ai dit pour tirer les choses au clair, pour que tu saches, et pour que je sache que tu sais. Maintenant, nous partageons tout ça, nous pouvons aller de l'avant, aller au fond des choses. Tu es la seule qui puisse me comprendre. »

Elle s'assit sur le bord du lit. Il prit place à côté d'elle et posa la main sur son genou. Elle se laissa glisser plus loin et imagina la tête de Zarko, tombant au milieu de la fumée, alors que le sang giclait de son corps. Sa tête pouvait-elle s'être détachée du corps ? Est-ce que Branko exagérait ? Et maintenant, il y avait ses doigts, insistants, pareils à de petits serpents édentés et durs, qui lui fouillaient le ventre. Comment pourrait-elle se sentir disposée au moindre rapprochement intime, avec toutes ces images épouvantables qui lui assaillaient les sens ? Elle fut prise d'un vertige.

Le directeur se déshabilla de nouveau. Son érection était maintenant revenue et il l'exhibait fièrement.

« Aussi simple que ça ? Tu n'avais besoin que d'une bonne confession et d'un peu de sang, le sang de mon mari, et là, ça y est, tu es prêt ? »

Mira se mit à sangloter, agenouillée à côté du lit.

« Laisse-moi. Je ne peux pas faire ça, pas maintenant. Peut-être demain. Va-t'en.

— Hé, pas si vite, dit-il. Je ne peux pas te laisser ici. Tu n'es pas chez toi. »

À la maison, elle annonça à son fils qu'il n'aurait pas à s'enrôler. Il en fut étonné, ravi. « Alors, tu as réussi à trouver plus d'argent ? Formidable. Où ?

— Je ne peux pas en parler.

— Pourquoi ? C'est un secret d'État ?

— Quelque chose comme ça. Oui, un secret d'État. »

Elle le regarda et envisagea de lui dévoiler la vérité au sujet de son père, de sa mort, mais n'y parvint pas. Pas encore. Il faudrait qu'elle trouve la force. Elle aurait pu annoncer la chose en lui disant qu'elle avait une bonne et une mauvaise nouvelle, laquelle veux-tu entendre la première ? Non, elle ne voulait apporter que la bonne nouvelle. Mais elle éprouvait un certain soulagement à savoir enfin ce qui était arrivé à son mari. Il était mort. Plus de soucis à se faire désormais. Et son fils vivrait. Deux problèmes de réglés. Elle pouvait se détendre. Elle était si épuisée qu'elle s'endormit sans se déshabiller. Et elle rêva. Mira, réveille-toi. Comment peux-tu dormir ? L'image de Zarko lui parlait, faite de nuages bleus, avec de petits nuages noirs pour les sourcils. Lève-toi. Va chercher mes os. Enterre-les. Tu ne peux pas les laisser mêlées aux cendres boueuses de Bosnie. Je dois rentrer à la maison, au village où je suis né, retrouver ma terre. Tu dois le faire. Je ne te laisserai pas en paix tant que mes os ne seront pas enterrés.

Elle se réveilla emplie de terreur, se leva et se mit à faire les cent pas. Son fils était sorti. Sans doute s'amusait-il dans un bar. Elle alluma les lumières et fit jouer *Eine Kleine Nachtmusik* de Mozart. Les inflexions de la mélodie, si prévisibles, trop prévisibles, ne l'apaisèrent pas. Elles étaient prévisibles, bien sûr, parce qu'elle les avait entendues trop souvent. Elle but une Starocesko Pivo chambrée. Est-ce vraiment mon mari qui me parlait dans mon rêve ? se demanda-t-elle. Comment se fait-il alors qu'il ne m'ait pas parlé avant que j'apprenne sa mort ? Ce n'est sûrement que mon esprit qui se parle à lui-même. Mais l'étonnante clarté du rêve la hantait, et elle ne parvenait pas à se débarrasser de cette idée que le fantôme de son mari lui avait parlé. Elle avait peur de s'endormir quand elle était petite, et c'est ce même type de frayeur qu'elle éprouvait actuellement à l'idée de s'assoupir.

Elle laissa les lumières allumées et se souvint des cauchemars de son enfance. Elle avait parlé à Branko de son enfance heureuse, et elle l'avait été d'une certaine manière, ce qui ne l'avait pas empêchée de faire d'horribles cauchemars où elle voyait sa maison s'embraser, ses parents, ses frères et ses sœurs périr dans les flammes. L'explication en était sans doute simple : son père fumait du jambon dans le grenier, et des effluves de fumée et de chair pénétraient dans ses rêves. Alors elle dormait avec les lumières allumées, même si cela faisait enrager sa mère qui se plaignait du prix exorbitant de l'électricité. Elle se demanda pourquoi, devant Branko, elle s'était approprié avec tant de fermeté une enfance heureuse – peut-être simplement pour tuer dans l'œuf une conversation qui promettait d'être ennuyeuse et prévisible. Elle se rendormit. Zarko lui parla de nouveau en rêve, perché dans un sapin en feu. C'était un arbre de Noël décoré de cierges magiques et, dès qu'ils s'enflammèrent, il parla, la suppliant d'aller récupérer ses os.

Le matin, elle était vidée, malheureuse, et elle décréta qu'elle ne pourrait rien pour les os de son mari tant qu'elle n'irait pas mieux. Elle n'éprouvait alors pour lui aucun chagrin. Elle détestait ce casse-pieds. Comment pouvait-il manifester une telle arrogance dans la mort ? Elle le haïssait. Bien fait pour sa gueule. Qu'il crève. Quelle importance cela avait-il, la manière dont il était mort ? Qui se souciait de ce que ses os soient dispersés, pourris ou en cendres ? Une fois mort, on n'est plus qui on était.

Le soir même, terrifiée à l'idée d'une autre nuit épouvantable, elle accepta de sortir avec Branko. Son fils étant parti sur la côte avec des amis, elle invita le directeur à la maison. Ils burent du dingac, un vin rouge qui noircit leurs lèvres et dont le bouquet prit le dessus sur le goût de tabac et de café qu'ils avaient dans la bouche. Ils s'embrassèrent langoureusement et se pelotèrent. En faisant l'amour, peut-être à cause du manque de sommeil et de sa longue abstinence, elle sentit de puissants courants électriques et des picotements dans la tête, et vit passer devant ses yeux, qu'elle gardait pourtant fermés, des éclats de lumière. Elle flottait dans des vagues électriques comme si elle avait cessé d'être une créature de chair et d'os et, pour ne pas partir à la dérive dans l'espace éthéré, pour s'arrimer, elle étreignit Branko, lui labourant si fort le dos de ses ongles qu'il suffoqua de douleur. Du sang coula le long de son dos velu.

Après, tandis qu'ils relaxaient en buvant du vin rouge, il dit : « Ça, c'était de la passion ! Du plaisir à l'état pur pour la moitié du corps, de la douleur pour l'autre !

— Je me sens si calme, plus calme que jamais, dit-elle. Soulagée. Vide. C'est merveilleux de se sentir vide. Je n'ai jamais connu ça.

— Et qui c'est, lui ? demanda Branko en montrant du doigt une photo de Zarko.

— Oh, Zarko, mon mari, ex-mari.

— Qu'est-ce qu'il a changé, dis donc ! s'exclama Branko. Quand je l'ai connu, vers la fin, il avait quasiment perdu tous ses cheveux, et terriblement maigri.

— Ce devait être très stressant pour lui. Et toi, tu as changé ?

— Pas pendant la guerre. Mais si nous continuons comme ça, je vais probablement aussi perdre tous mes cheveux et presque toute ma peau. »

Taquine, elle caressa de ses ongles son ventre nu, et, très vite, ils firent l'amour de nouveau. Dehors, le vent soufflait fort. Un violent courant d'air fit claquer une fenêtre. Puis ce fut une porte, qu'elle ne se souvenait pas d'avoir laissée ouverte. Elle était nue, mais se sentit plus nue encore en percevant sur sa peau ce vent froid et humide qui semblait la dévêtir encore plus, la dépouiller d'une couche invisible de sa sueur, de ses vapeurs, de ses sels, jusqu'à ce qu'elle soit totalement propre et ouverte, revigorée et libre, désirant et aimant les courants d'air froids sur sa peau. Alors que l'excitation accentuait le rythme de sa respiration, elle regarda sous les aisselles de Branko et, dans la pénombre, eut l'impression que quelqu'un était assis dans le fauteuil, à l'autre bout de la pièce. Elle n'aurait pas dû tenir pour acquis que son fils ne serait pas là. À moins que sa vision ne lui joue des tours ? Puis l'aisselle se referma, elle frémit et, fermant les yeux, vit des lumières, des lumières pareilles à des aurores boréales. Magnifiques ! Peut-être verrait-elle autre chose maintenant, pensa-t-elle. Mais quand elle ouvrit les yeux au moment où Branko se soulevait, elle aperçut Zarko dans le fauteuil, la fixant d'un regard intense, les sourcils encore plus arqués qu'avant, plus épais, plus tristes. Elle ferma les yeux. Pourquoi le fantôme de son mari venait-il la hanter même à l'état d'éveil ? Faire l'amour lui avait fait perdre la tête. Mais ce n'était pas le type d'hallucination qu'elle accueillait de bon gré. D'ailleurs, était-ce une hallucination ? Sans doute ! Quoi d'autre ? Il était mort. Pourquoi y penser encore ? Il fallait éviter. Elle ferma les yeux et relâcha dans sa chair des vagues de plaisir intense, laissant les aurores boréales pulser au rythme de son cœur et de son sexe.

Quand elle les rouvrit, les mêmes yeux étaient toujours là, luisant dans la faible lueur des derniers feux indigo d'un crépuscule pourpre. Elle hurla.

« Qu'est-ce qu'il y a ? demanda Branko.

— Il est là !

— Qui est là ?

— Zarko.

— Impossible, il est mort.

— Tourne-toi. Regarde. Dis-moi, est-ce que j'hallucine ? »

Branko se retourna, lourdement.

« Continuez, entendit-elle son mari prononcer. Je veux savoir comment ça finit.

— Ho, est-ce que c'est toi ? » lança-t-elle à Zarko tout en se couvrant d'un oreiller. Puis elle dit à Branko : « Là, assis avec une arme braquée sur nous ! Il va nous tuer ! Ne tire pas !

— Ne me fais pas peur comme ça ! lui dit Branko. T'es

dingue ! Regarde-moi dans les yeux. T'es là ? Les fous me fichent la trouille.

— Il est là. Dis-lui bonjour. Dis-lui que t'es content qu'il soit vivant ! »

Branko s'habilla à la hâte et courut vers la porte. Il trébucha. Mira avait vu le pied tendu de Zarko lui donner un croc-en-jambe.

Une fois Branko sorti, un silence s'installa que ne troublaient que le goutte-à-goutte d'un robinet et le bruit d'un train filant sur des rails cahoteux.

Elle ferma les yeux, essayant de fermer son esprit. Son esprit la terrifiait. Comment pourrait-elle dormir dorénavant si Zarko régissait ses rêves ? Son esprit ne lui appartenait plus à elle, mais à lui, pensa-t-elle. Si elle s'endormait, il se déchaînerait dans sa tête, la terroriserait, brûlant tout sur son passage, comme à Stupni Do, tirant sans arrêt, à moins de tomber sur un jeune garçon, mais il n'y avait plus de jeunes garçons. Même leur fils avait cessé d'être un jeune garçon pour devenir un homme bon pour le service, un soldat, rien pour inspirer la pitié. Il n'y avait pas de jeune vie, de nouvelle vie, pour stopper leur folie et pour les racheter. Elle se sentit vieille, épuisée, et, en même temps, encore tout émoustillée par l'acte sexuel, elle aurait voulu disparaître dans une nouvelle vague de plaisir, plus gigantesque encore que la précédente. Et pile à ce moment de sa rêverie, elle entendit un ronflement.

Elle alluma et put clairement voir Zarko, affalé sur le sol, dormant la bouche ouverte. Pour être sûre que son esprit ne lui jouait pas un tour, elle toucha son corps, ses côtes, comme un Thomas rempli de doutes. Il y avait des côtes, elle pouvait les sentir sous ses doigts, et elle était certaine qu'il y avait un trou quelque part. Elle allait le trouver.

Remerciements

Ces nouvelles ont paru en anglais dans les publications suivantes :

« Spleen », dans *The Paris Review,* mai 2003, et dans l'anthologie *Wild East: Stories from the Last Frontier.*

« The Stamp », dans *Ploughshares,* décembre 2002.

« Night Guests », dans *Antioch Review,* septembre 2001.

« Neighbors », dans *TriQuarterly,* janvier 2000.

« Hail », dans *TriQuarterly,* janvier 2003.

« Snow Powder », dans *Other Voices,* avril 2003, et en version condensée dans *Powder,* décembre 2002.

« Tchaikovsky's Bust », dans *Fiction,* juin 2002.

« The Bridge Under the Danube », dans *Boulevard,* juin 2002.

« 59th Parallel », dans *The Sun,* janvier 2003.

« Ribs », dans *Tin House,* juillet 2001.

« A Purple Story » apparaît pour la première fois dans ce livre.

Je suis infiniment reconnaissant envers Terry Karten pour son formidable travail d'édition et pour son soutien sans faille. Je remercie également, pour leurs encouragements et leurs commentaires, Francine Prose, Anne Edelstein, Danny Mulligan, Emilie Stewart, Jeanette Novakovich, Richard Burgin, Andrew Proctor, Carol Keeley, Larry Goldstein, Don Lee, et Mark Mirsky.

Merci également aux institutions qui m'ont aidé à trouver un temps précieux, à défaut d'argent : le National Endowment for the Arts, le Dorothy and Lewis B. Cullman Center for Scholars and Writers de la New York Public Library, la Yaddo Corporation, la Guggenheim Foundation et le Tennessee Williams Fellowship de la University of the South.

Table des matières

Crédits et remerciements

La traduction de cet ouvrage a été rendue possible grâce à une aide financière du Conseil des arts du Canada.

Nous reconnaissons l'aide financière du gouvernement du Canada par l'entremise du Programme national de traduction pour l'édition du livre, une initiative de la *Feuille de route pour les langues officielles du Canada 2013-2018 : éducation, immigration, communautés*, pour nos activités de traduction.

Les Éditions du Boréal sont inscrites au Programme d'aide aux entreprises du livre et de l'édition spécialisée de la SODEC et bénéficient du Programme de crédit d'impôt pour l'édition de livres du gouvernement du Québec.

Nous remercions le Conseil des arts du Canada pour son soutien financier et reconnaissons l'aide financière du gouvernement du Canada par l'entremise du Fonds du livre du Canada (FLC) pour nos activités d'édition.

Couverture : Simon Plasse, *Watch your step* (détail)

Ce livre a été imprimé sur du papier 100 % postconsommation,
traité sans chlore, certifié ÉcoLogo
et fabriqué dans une usine fonctionnant au biogaz.

MISE EN PAGES ET TYPOGRAPHIE :
LES ÉDITIONS DU BORÉAL

ACHEVÉ D'IMPRIMER EN MARS 2015
SUR LES PRESSES DE MARQUIS IMPRIMEUR
À MONTMAGNY (QUÉBEC).